KB006902

몽돌이 이야기

김 순 자 지음

대경북스

1984년 11월 27일 장로장립식

책을 펴내면서

1950년 6.25전쟁을 몸소 겪으며 그 시대를 살아왔던 한 소녀는 이제 80세 문턱에서 지나온 세월을 뒤돌아본다.

의식주 생활이 어려웠던 그 시절. 근검, 절약, 노력의 결과로 이제는 풍요로운 세상으로 변하였다.

"둘만 낳아 잘 기르자."

"잘 키운 딸 하나 열 아들 안 부럽다."던 산아제한의 구호가 이제는 출산부족을 국가정책으로 해결해야 할 만큼 심각한 문제가 되었다.

꿈을 이루고 싶어도 스스로의 노력만으로는 거의 불가능했던 열악한 사회환경이었기에 학비 감면, 헌 교복, 헌 교과서로 고교를 졸업하게 된 것에도 언제나 감사했다.

통영여고는 오늘의 나를 있게 해 준 고마운 원동력이었다. 대한민국의 최남단 통영에서 훌륭한 여성을 많이 배출한 명문 여고이다.

1961년 5.16 군사혁명정부의 군미필자 일제정리로 인하여 전무후무하게 단 한 번 시행된 '초등학교 교원 국가검정고시' 합격은 내가 교사의 길을 걷도록 해준 운명이었다.

주부로, 어머니로 살아가기보다 직장인으로 긴 세월을 보냈지만, 그 노력이 '자녀들에게 도움이 되었을까?'하고 뒤돌아 보기도 하였다.

둘째인 딸이 대학에 진학하면 함께 진학하고 싶었던 가슴 속 오랜 꿈은 영원한 꿈이 되어버렸다.

"어릴 적 고난은 용기와 근면을 가르치는 하늘의 은총이다. 영웅과 위인은 가난 속에서 태어난다."

슬프고 힘들 때면 이 말의 주인공인 미국 에이브러햄 링컨 대통령과 그가 태어나 자란 통나무집을 상상해 보는 것은 하나의 즐거움이었다.

5

손주들과 한집에서 밤에는 옛날이야기를 들려주고 동화책을 읽어주고 싶었던 우리 시대 어머니들의 작은 소망은 함께할 수조차도 없는 세상이 되어버렸다.

가난을 극복하기 위해 하와이 농장으로, 독일 광부로, 간호사로 건너간 그들의 근면과 성실함은 대한민국 국민의 우수성을 세계에 알렸다. 그러나 이제 세상은 많이 변했다.

힘든 일은 뿌리치고 편한 일만 찾는 풍요 속의 게으름(?), 가난 속의 부지런함(?), 과연 어디에 가치를 두어야 할까? 우리 자녀들이 모두 잘 사는 세상을 만들기 위해 어떤 선택과 노력이 필요한지 고민해야 할 때가 되었다.

2019년 5월 교통사고 이후 트라우마에 시달리며 불면의 고통 속에서 다시 일어서자고 다짐하며 그동안의 일기와 메모를 찾아 팔순이 되기 전 교회와 가족, 친척, 친구, 가까웠던 모든 분에게 감사하며 남기고 싶었던 작은 이야기들을 추억으로라도 만날 수 있기를 바라는 간절한 마음으로 쓴 글이다.

코로나 19로 가족과도 만날 수 없는 명절. 이 아쉬운 시간들을 황금의 기회로 받아들이기로 마음먹자 왠지 편안해졌다.

그리하여 틈만 나면 펜을 잡았다. 글쓰는 능력도 경험도 부족해 안쓰럽지만, 격려해주고 스스로 할 수 있도록 용기를 준 가족들에게 고마움을 전한다.

표지의 그림은 여교사였던 막내 여동생 순금이가 언니들과 어릴 때 함께했던 줄넘기, 모차기를 회상하며 그려준 고마운 선물이며 책 제목은 작가인 딸이 어머니의 물음에 첫 마디로 지어준 이름이다.

2022년 12월 9일 〈통영신문〉 207호에 「기획특집 이 사람」에 소개된 후 책을 찾으시는 분이 많아서 다시 내게 되었다. 이 책을 읽으시는 모든 분들께 감사드린다.

2023년 산수연 다음 해 봄날에

金 淳 子

차 | 례

제3부 통영여자고등학교 편

제4부 교사시절

제5부 결혼생활 편

제6부 가족 이야기

제7부 남편 이야기

제8부 고마운 인연들

제9부 남은 이야기

제10부 마지막 이야기

제11부 두 번째 이야기

제1부

충렬국민학교 편

통영 동부유치원 시절

제4회 졸업기념 사진(1949년 7월 15일). 첫째 줄 왼쪽 첫 번째가 필자
이 자리에 지금은 항남그린맨션이 들어섰다. 재건교회의 동부유치원과
충무교회의 문화유치원 두 곳이 그당시 유아교육시설의 전부였다.

6.25전쟁의 회상과 두 할머니

2000년 8월, 충무 시내와 미륵도를 연결하는 두 번째 다리 통영대교가 개통되었다. 아! 이곳에 다리가 있다면 가족에게 달려갈 텐데! 눈물을 흘리며 외갓집으로 돌아가던 6.25전쟁 시기의 어린 시절이 떠올라 다리 난간에 기대어 50년 전 피난생활 73일간(50. 7. 22~10. 2)의 회상에 잠기다.

1950년 7월 22일 충렬국민학교 2학년 2반 교실.

첫 수업 시간 갑자기 교내 사이렌이 울리고 비행기가 하늘을 찌를 듯한 굉음을 울리며 지나가고 있었다.

담인이신 이추산 선생님은 걸상을 책상 위로 올리고 모두 책상 밑에 엎드리게 한 후 교무실로 가셨다. 짓궂은 남학생들이 꼼짝않는 게 이상했고, 집으로 달려올 때 텅빈 신작로와 대낮이 밤보다 더 무섭다는 것을 그때 알았다.

통영에도 6.25전쟁이 시작된 것이었다.

우리 가족 6명은 외갓집과 이모집이 있는 인평동으로 피난했는데, 며칠 후 인민군이 이곳 천암산까지 왔단다.

부모님은 우리 삼형제를 데리고 산양면으로 가기 위해 해저터널까지 왔을 때 어머니는 배추색 돈(현재 만 원권 정도) 1장을 내게 쥐어주며 남아 있던 "할머니와 함께 있으면 어떻겠느냐?"고 물으셨다. 그순간 아버지와 언니, 남동생은 간 곳이 없고, 마루 밑에 가마니를 깔고 혼자 누워계시던 할머니 모습이 떠올랐다.

'가야지! 할머니 곁으로….'하며 돌아서는데 건너편에 가고 있을 가족들의 얼굴이 풍선이 되어 떠다녔다.

두 할머니와 함께 한 달 쯤 지냈는데, 대포 쏘는 소리가 낮에도 울렸다.

할머니는 또 마루 밑으로 들어가셨고 외할머니는 나를 데리고 산양면으로 건너 갈 수 있는 국치마을로 향했다. 산마루에서 잠깐 쉬는 동안 갑자기 총알이 핑핑 쏟아졌다. 앞에 있던 소가 펄쩍펄쩍 뛰었다.

"아가야 놀랐지?"

"낮에 죽여놓고 밤에 잡아 먹을려고 나쁜 놈들!"

외할머니는 잔디를 뜯어 돌돌 말아 내 귀를 막아주시고 살금살금 다가가 소끈을 풀자 소들이 달아났다.

국치마을에 도착하자 방파제에 모인 사람들이 오늘 안으로 산양면으로 건너가야 된다고 수근거렸다. 그때 나타난 쪽배 한 척. 열 사람이 타고 노를 저어 200m쯤 갔을 때 총알이 뱃전과 바닷물에 튀었다. 허둥대는 사람들로 순식간에 배가 뒤집혔다. 그 와중에 바닷물이 배꼽 높이 정도여서 허둥대며 나올 수 있었던 것은 불행 중 다행이었다.

외할머니와 둘이 바닷가 큰 바위틈에서 미숫가루를 먹는 사이 바닷물이 차올랐다. 빈집 헛간에서 20여 일을 보냈는데, 이러다가 너를 굶겨 죽이겠다며 다시 외갓집으로 돌아왔다. 다음날부터 할머니는 인민군이 지키고 있는 외길뿐인 군청 앞을 지나 집에서 옷가지와 식량을 가져오셨다.

"인민군 보초가 부르길래 내 손녀가 굶어죽게 되어 쌀 가지러 간다. 죽일려면 나를 죽여라 그랬더니 오늘은 잘 챙겨가시라고 인사까지 하더라."

약 2개월 후 인민군은 통영을 떠났고, 5일 만에 바다 건너

편에서 이쪽을 바라보던 어머니를 찾은 후 해저 터널 국군 검
색을 일주일 만에 통과해서 가족이 모두 집으로 돌아왔다. 옆
집 정미소는 대포를 맞아 한쪽이 무너져 있었다.

두 집 사이에 쪽문을 내어 우리집 대문을 통하여 교회에 가
시던 집사님은 산파대신 둘째남동생을 받아주셨는데, 어려운
가정에는 잘생긴 아들을 둘이나 주셨다며 눈물을 흘리며 기도
하셨다고 가정부 명자 언니가 우리에게 귀뜸해주었다.

옆집 식구들은 시댁이 있는 한산도로 피난을 다녀왔다.

숨바꼭질 때 우연히 보게된 정미소 큰 기계 뒤의 가마니 속
에 들어 있던 화장품과 연필은 어떻게 되었을까?

옆집 외동딸 옥이 언니는 숙명여대 약대를 졸업한후 수빈
한의원집 아들과 연애를 했는데, 예수쟁이라고 트집잡아 남자
쪽의 완강한 반대에 부딪혀 통영을 떠들썩하게 한 후 어머니
를 모시고 떠나던 모습을 마지막으로 기억한다. 초등학교 6년
간 담임 선생님이던 조숙자, 이추산, 조봉임, 강경로, 김기만,
김용우 선생님의 얼굴이 다리 위로 차례차례로 떠간다. 모두
그리운 얼굴들이다.

6월은 두 할머니의 큰사랑이 되살아나는 그리움의 계절
이다.

이제 70년 세월이 흘러 60년 전 나룻배가 다니던 바다 위에 세 번째 다리가 통영의 명물로 2021년 12월까지 완공 예정이다. 항남동 한산대첩 광장 부근에서 동호동을 연결하는 아름다운 강구안 보도교가 2023년 4월 7일 드디어 개통되어 사람들이 다닌다.

그동안 침체된 항남동과 남망산의 문화회관과 전시실 수영장 조각공원 이순신 장군동상, 한려수도 절경, 디피랑행사장, 청마 유치환의 <旗발(깃발)> 시비까지도 시민과 관광객이 강구안 보도교를 도보로 거닐며 감상할 수 있기를 기대하고 있다.

통영은 아름다운 곳이고 관광지다. 미륵산 케이블카에서 보는 한려수도의 수많은 섬들, 이순신 장군의 유적지 한산도, 제승당, 이순신공원, 세병관, 충렬사, 12공방 등 찾아보아야 할 곳들이 도처에 있다.

현재는 통영-대전고속도로가 주교통이지만 수년 내에 거제까지 철로가 놓일 예정이다.

강구안 보도교(2023년 4월 개통)

육군병원으로 바뀐 학교

피난생활 72일 만인 10월 2일 등교하였는데, 학교가 육군병원으로 변하여 전교생이 항남동 2층집, 멸치창고를 전전했다. 우리 반은 급장 양재근의 집 민중의원 2층을 교실로 사용하는 행운을 얻었고 아침 일찍부터 선생님은 병원 앞을 지켰고 우리는 뒤꿈치를 들고 걸었다.

항남동과 서호동 도로가 운동장으로 줄넘기, 모차기, 제기차기 등 각종 놀이를 할 수 있었던 것은 자동차가 없던 시대였기 때문에 가능했다. 각종 체육대회, 학력경시대회 수상을 휩쓴 것은 충렬인의 나라 사랑, 상이군인에 대한 배려와 희생에 대한 하늘의 보답이 아니였을까?

동네와도 떨어진 채 충렬사 뒷편에 위치하여 여황산으로 아름답게 둘러싸인 명당자리 학교를 상이군인에게 내어줄 수밖에 없었던 것은 너무도 당연했다.

본교 운동장에서의 매스게임 연습 때 줄 세우기를 돕는 상이군인들의 열정은 체육대회 때마다 충렬 제2의 응원단 역할을 했다. 어느 축구대회날 심판의 잘못된 판정에 분개한 상이군인들이 휠체어와 목발로 운동장을 휘젓고 다니던 모습이 지금도 선하다. 우리 편인데도 어린 마음에 무서웠다. 다른 학교에서는 얼마나 공포심에 떨었을까?

대회가 끝나면 상이군인과 한 덩어리가 되어 응원가를 부르며 토성고개를 행진해서 오던 그 감격. 충렬인은 7년 동안이나 학교를 내어 주고도 상이군인들에 협조적이었다. 그러나 어느 날 5학년 남학생 양헌이 상이군인이 몰던 트럭에 치여 한쪽 다리를 절단하는 사고가 생긴 후로는 상이군인들이 빨리 회복되어 고향으로 돌아가기를 진심으로 기원했고, 학교도 빨리 되찾을 수 있기를 간절히 바랐다.

목발을 짚고 시내를 활보하던 상이군인들. 전쟁때문에 불구의 몸이 된 그들이 행패를 부려도 누구도 이의를 제기하지 않았다. 그게 그 시절의 사회 분위기였다.

가교사와 학습장 경연대회와 전시회

4학년 5월 여황산 기슭에 부모님들이 산비탈을 고르고 가교사를 지었다. 등하교 때는 반드시 충렬사 경내를 지나는데 교장 선생님은 사당 앞에서 묵념을 하도록 충무공 정신교육을 철저히 시키셨다.

서울서 피난온 조관주의 도시락 햄 반찬을 똥이라고 놀린 남학생도 있었다. 수요일이면 도시락 반찬 그릇이 간장 종지라 고민했다. 또한 그 시절의 이상한 숙제는 잔디씨와 쥐꼬리 제출이었다. 이때 두 동강난 쥐꼬리, 오징어다리에 먹물 입힌 쥐꼬리 등은 많은 형제들의 쟁탈전 때문이었다.

향지와 잔디씨를 뜨러 당산에 오를 때면 6.25 이후 하루 종일 시내를 끌려다니다 여기서 총살당한 억울한 사람들의 뒷이야기가 떠올랐다. 43년 후 산복도로 개통으로 없어진 지금도 당산의 무서움이 생각난다.

비록 가교사 생활이었지만 시내 모든 학교 중에서 학습장 경시대회는 충렬뿐이었다. 4학년 이상 전과목 학습장을 개인 별로 제출하면 글씨와 정리상태 등을 종합적으로 심사한 후 시상식과 전시회를 연다. 4, 5, 6학년 3년간 계속해서 1위를 했는데, 교장 선생님께서 몽돌처럼 깨끗하고 매끈하다는 평을 해주셔서 '몽돌'이 별명이 되어 버렸다.

졸업 후 37년 만에 만난 동창회에서 장난꾸러기 대장 김홍은 보자마자 "몽돌아 잘 있었니?" 그순간 어린 시절로 되돌아갔다.

정리하고 기록하던 어릴 적부터의 습관은 가계부 수상과 TBC 아침마당 프로에 출연할 수 있게 된 밑거름이 아니었을까? 가끔 그런 생각이 들기도 했다.

약 70년 전 6년 동안 충렬초등학교의 가교사 자리였던 여황산 기슭에는 문화빌라가 들어섰고 산복도로가 개통되었다. 그길을 지날 때면 가교사가 있던 곳을 간혹 쳐다본다. 충렬사 후문 뒷편으로 가교사 가던 길의 흔적이 지금까지 남아 있다.

심문섭 교수의
남망산 조각공원과 교가탑

도천동 통영군청 맞은편 농협창고는 이순신 장군 동상 두 개가 제작되고 있는 현장이다.

"큰 동상은 진해로, 작은 동상은 통영 남망산 공원에 세운다."

향지의 설명이다. 읍장님의 딸인데다 서울서 오신 조각가분이 임시로 향지네 아래채에 살게 되어 아는 것이 많았다. 동상 작업대 옆에 우리 반 심문섭이가 있었다. 왜 그때 그가 그곳에 있었을까? 심문섭에 대한 수수께끼는 풀렸다. 서울대 미대를 졸업하고 중앙대 예술대학장을 거쳐 세계적 조각가들과 함께 남망산 조각공원을 만든 주인공으로 예술의 불모

지였던 시대와 환경을 이겨낸 용기에 찬사를 보낸다.

그분의 작품세계는 KBS에서 〈신한국기행 심문섭편〉으로 1997년 6월 23일경 제작되어 97년 8월 9일 오후 6시 30분에 방영되었다. 심교수는 통영 용남면에 '조각의 집'을 남기셨다. 2020.1.8. 조선일보 A20면에 소개된 내용을 옮겨본다.

창밖으로 펼쳐진 통영 바다.

"조각 안에서 하룻밤을 묵고 가세요"라는 슬로건으로 심 교수님이 기획한 뽀족집을 비롯 국내외 10인의 작품을 실제 크기의 집으로 제작했는데, 침실과 욕실을 갖춰 숙박이 가능하고 머무는 여행객도 묵상의 공간을 가질 수 있도록 조각 집을 완성하였다.

해방다리 골목 피아노집, 후일 배종구 첼로 교수님께 레슨을 받던 후배 배의자 여사가 이화여대를 졸업 후 심교수와 부부가 되었다. 그래서 '조각의 집' 탄생이 가능했던 것이다.

자연이 아름답기도 하지만 고향에서 여러 사람들과 어울리며 많은 작품활동을 하는 것이 너무 감사하다.

통영의 옛 심장부 항남동 오거리에서 심 교수님의 조각품

한려 투데이 제1496호 2020년 1월 1일 수요일

"Feeling of 통영, Sleeping in 조각" 용남면 '조각의 집'

펜션 실내의 창틀이 마치 바다풍경을 담은 액자 같다.

통영의 파도를 표현한 심병건 작가의 작품을 구현했다.

을 만날 수 있다. 1993년 1월 11일 약 30년 전 통영라이온즈클럽에서 기증하였다. 이곳을 지날 때면 항남동에 살던 심 교수님의 동생 심인섭 씨와 둘이서 작은 도우미 역할과 함께 따뜻한 유자차를 집에서 끓여 나르던 기억이 떠오른다.

2022년 11월 22일 심 교수 부부, 원필숙 전 교장 선생님과 충렬초등학교를 방문했는데, 모교에 선물을 하고 싶다는 심 교수님의 의지에 따라 현재 진행하고 있는 담장 공사과 내진 공사를 마치면 심 교수님의 작품 〈교가탑〉을 세우고 주변 조경을 하기로 약속하였다. 신축된 '큰빛관'에서 어린 학생들과 점심 급식을 경험한 행복한 하루였다.

경남 도립 미술관 〈심문섭 : 시간의 항해〉 전

2023년 3월 17일~6월 25일. 경남 도립 미술관 1, 2층 전관에서 한국 현대 조각의 흐름을 주도한 심문섭 교수님의 60년 예술세계를 집중 조명하는 대규모 개인전이 열린다. 고향 통영 바다가 원천인 초기 실험작부터 각 시기를 대표하는 조각, 드로잉, 회화 연작 등 약 200여 점의 작품이 집중 전시된다.

2023년 4월 13일 KBS 1 창원 방송 오후 7시 뉴스에서 심문섭 작가의 전시회를 소개였는데, 고향에서 열게 된 동기, 작가와 작품 소개, 전시회장 모습 등 모든 것을 자세하게 방영하였다.

참으로 자랑스런 충렬 동창생이다. 언제나 건강하셔서 더 많은 작품 활동하시기를….

심 교수님이 어릴 때 자라던 항남동 옛집터가 도시계획으로 편입되어, 2023년 4월 개통된 강구안 보도교가 훤히 바라다보이는 큰 도로가 되었다.

강구안에는 거북선들도 다시 돌아왔고, 선착장과 정자도 만들어졌으며 문화마당이 재정비되어 관광객들에게도 중앙시장과 더불어 새로운 명소가 되었다.

37년 만의 첫 동창회

　1955년 2월 충렬국민학교 13회는 여황산 가교사에서 졸업식을 했다.

　1992년 8월 15일 37년 세월을 넘어서 만난 동창들, 일주일 후 8월 21일 정년 퇴임하시는 6학년 3반 담임이셨던 강경로 교장 선생님을 모시고 충무관광호텔에서 모였다. 강경로 선생님은 1950년 7월 11일~1962년 2월 27일(24세~36세)까지 청춘 황금기를 여황산 기슭 고목나무에 손수 칠판을 걸고 산수시간에 한 사람 한 사람 빠짐없이 답을 확인하며 가르쳐주셨다.

　군가 〈동이 트는 새벽길〉 부르기로 수업을 시작하여 기운을 돋우었다. 가정방문 때 만난 정해주 누님께 열렬히 구애하여 결혼하셨다.

호수처럼 맑은 바다가 그림처럼 펼쳐져 있고 뷔페는 통영 해산물을 재료로 하여 맛깔스럽다. 오전에는 모교 교정에서 기념 촬영을 한 후 거제 조선소 단체 탐방으로 어느덧 동심으로 돌아갔다. 2부 순서에서는 축구 응원가를 합창하며 하모니를 이루었다.

충렬의 어린이 발은 돌덩이 발
충렬의 어린이 발은 쇳덩이 발
한번 차면 공이 굴고 또 한번 차면 공이 날고
또 한번 차면 꼬올인.
야야야! 쇳덩이 발에 화살같고 번개같이 횡횡
공이 군다. 공이 군다. 공이 난다. 공이 난다.
또 한번 차면 꼬올인.

어느덧 육상응원가로 넘어간다.

올림픽 빛나는 흰선 그린 마당에서

영광의 우승기가 우리 앞에 휘날린다.

학우들아 잊지 말자 전통 만든 그날을

언니들이 싸워 이긴 피투성이 그 기록

달려라 달려라 뛰어라 뛰어라 매와 같이 싸워라

충렬은 충렬은 이긴다 이긴다 충렬은 이긴다

너무나 오랜만의 만남에 이별이 아쉬워 신라호텔에서 충무김밥 파티로 밤을 함께 새우고 있었다. 국민학교 시절 생각만 해도 가슴이 뛴다. 다시 돌아갈 수도 없는데 돌아가고 싶은 행복한 추억에 잠겨 본다.

충렬 교정에서 충렬 13회 (1992년 4월 15일)

용인 민속촌에서 충렬 13회 (1997년 4월 5일)

1997년 4월 5일 충렬 13회가 서울에서 모였다. 민속촌 관광, 만리장성 중국집에서 저녁 모임을 가졌다.

낮에 3학년 때 담임이시던 조봉임 선생님께서 극적으로 참석하였다. 지난 번에 편지를 보내드렸는데 수원에서 "귀여웠던 순자에게"로 시작하는 답장이 왔다. 모임에서 선생님께서는 우리들 때문에 활력소가 되었다며 서울에 오면 다시 만나자며 연락할 전화번호를 가르쳐 주셨다.

동기 남학생 전일웅이 대절한 버스 안에서 뛰놀다 갈비뼈를 다쳤다. 휴일인데도 사위가 강남병원 당직이라 다행히 치료를 받을 수 있었다.

충렬 13회를 하나로 만든 정해주 선거의
김훈 본부장과 여성위원장

2000년 2월 항남동에 정해주 선거 사무실이 열리면서 충렬 13회를 하나로 만드는 뜻밖의 일이 일어났다. 서울법대 졸업후 행정고시 합격으로 출발하여 국무조정실장과 통산산업부장관 등을 거쳐 마지막 고향을 위해 국회의원에 출마했던 것이다.

김훈 동창이 본부장을 맡았다. 삼성그룹 중역에서 경남부지사로 발탁되어 통영에서 동창회 모임이 있는 날 출장일을 맞추어 참석하여 저녁을 대접해 주었는데, 그 따뜻함과 겸손함에 모두 고마워했다.

정해주 부부가 남편을 만나 부탁하여, 여성분과위원장으로 여성총괄을 맡지 않을 수 없게 되었다. 은행장 출신 김용명, 강말길 LG맨, 김포공항 김옥태, 해양경찰서장이었던 이정양, 현대정공 부장으로 근무한 후 조선계통의 외국인 회사 감독이 된 김재수, 통영 졸업이지만 통영시청을 설계한 황정수, 탁구협회장 박재현, 통영축구지킴이 이만수, 새마을금고 이사장 조태윤, 명동골목파수꾼 허번광, 해저터널 김건부, 테니스 선수 박정, 세일즈맨 김일웅, 김홍, 이성굉, 성창그룹 중역으로 해외 활동 중인 유정부, 승전무 계승자로 부산대 교수가 된 엄옥자, 김수자 부산대 교수, 이향지 작가, 주길자 육상선수, 통영에 끝까지 남아있던 김숙자, 박행자, 정도자, 김옥남, 부산의 김청자, 이승강.

모두 몸으로 마음으로 뭉쳤다. 직접 와서 발로 뛰고 전화로 선전하고 모두 합쳐서 열심히 뛰면서 행복했다. 그때 부산 청자의 생일이 돌아와서 수향에서 생일잔치를 했다.

충렬은 물론 통영, 두룡, 진남, 유영, 동중, 통중, 통고, 수고, 상고의 모든 동기모임인 통영한려회의 탁도수 회장님과 최태선 사모님은 객지 친구들의 숙박과 식사를 운영중인 팔도식당에서 제공하셨다. 부산한친회의 이정양, 서울 미륵회 모두가 하나된 아름답고 부러운 보기 드문 선거 풍경이었다.

결과는 2위. 통영 시민들은 두고두고 후회했다.

정해주가 당선되고 김훈이 시장으로 심문섭과 콤비를 이루었다면 통영은 어떻게 발전되었을까? 선거 때만 되면 안타까운 일로 기억되지만, 13회는 하나였었고 선거는 축제였다.

마당발에 호탕한 성격으로 능력과 실력, 경험 모두를 겸비했는데 국가를 위해 쓰임받을 수 있는 큰 인재를 놓친 건 국가의 손실이다. 낙선이 우리들 잘못인 양 모두 괴로웠다.

그후 정해주는 진주산업대학 총장으로 아낌 없이 실력을 발휘하였고, 국회의원 두 번째 도전에서도 아깝게 2위를 했다.

만날 기회가 없어져 가는 우리들 충렬 13회의 좋은 연결고리가 되어 오래동안 만날 수 있는 기회였는데, 못내 아쉽다.

김훈 부지사는 남서울대학교 국제경영학부 객원교수, 아주디자인그룹 회장, 강원도 투자유치자문관을 거쳐 현재는 푸른나무재단(전 청소년폭력예방재단) 고문으로 활동중이시다.

정해주 장관은 사외이사로, 강사로 초빙되어 활동 중이다. 두 분이 좀더 젊었더라면 국가의 큰 일꾼으로 부름받았을텐데 너무 긴 세월이 흘러버렸다. 모두가 아쉬워한다.

2022년 3월 14일《뛰어가는 한국인》(김훈 지음)이라는 책한 권이 도착했다. 열심히 살아오고 '잊을 수 없는 순간들'을 기록하였다. 감명깊게 읽었고, 그 마음을 이해하며 그 삶에 경의를 표하지 않을 수 없었다. 김훈 동창의 아버지는 화양학교 근무때 산양우체국 국장님으로 자주 뵈었다. 너무나 성실하신 분으로 존경하였는데 그 삶이 아버지와 꼭 닮아서였다.

김훈과 동생은 삼성맨으로 만남도 있고, 폭넓은 지식과 좋은 정보를 보내주고 소식까지 알게 되어 고맙기만 하다.

38년 만에 돌아온 충무교회에서 강경로 선생님의 아드님인 강승우 집사님을 만났다. 홀로 남은 어머님이 미국에 사는 딸 영화에게로 가셨는데, 비행기를 타지 못해 한국에 올 수 없어 2022년 12월 4일 미국 LA 라하브라로 가서 어머님을 한달 동안이지만 정성껏 모시다 또 아쉬운 이별을 해야했다.

먼 곳으로 떠난 13회 동창들도 있다. 6.25때 서울서 피난온 조관주는 서울 수복 후 곧 서울로 떠났고, 후일 이화여대 학생이 되었는데 곧 세상을 떠났다는 소식이 들렸다. 현기란이는 아버지 현덕권 선생님이 충렬에 근무하셨는데 6학년 무렵에 인천으로 떠났다고 기억된다.

항남동 동부유치원 안에 재건교회가 있었고 그곳 사택에 우리 반 김건일이 살았는데 어머님이 장로님이셨다. 그 영향이었던지 착실하고 우수했던 그는 후일 목사님이 되어서 호주에서 목회생활을 한다는 소식이 들려왔다.

6.25 이야기 강사로 초청 받다

2017년 3월 충은교회에서 함께한 원필숙 권사님이 충렬 초등학교 교장 선생님으로 부임하셨다.

어느날 6.25 이야기를 전교생에게 들려달라고 하셨다. 어린아이들이 가장 어렵다. 재미없으면 그만 난장판이 될 것이다. 고민 끝에 일기자료를 찾고 주어진 40분에 맞추는 연습도 여러 차례 해보았다. 후배를 위해 용기를 내자.

5월 둘째 월요일 첫째 시간 전교생과 선생님까지 너무나 조용히 열심히 들어주셔서 두려움은 어느새 달아나고 강의를 성공리에 마쳤다. 처음 방문하는 선배로서 준비해 간 빵도 나누었다.

6.25이야기 강사로 모교를 찾다

교장 선생님의 점심 대접을 뿌리치고 후배들과 급식장에서 맛있고 깨끗한 점심을 먹었다. 봉사라도 하면서 먹고 싶은 급식이다. 충렬 급식이 최고라고 교장 선생님께서 자랑이 대단하다. 점심 때 집에 가서 물 한 그릇 마시고 왔다는 옛날 초등학교 남자 동창생 허번광이 생각났다. 요즈음 아이들은 참으로 행복하구나! 둘러본 교실은 아! 이런 곳에서 공부하고 싶구나! 강당의 피아노가 너무 낡아 마음에 걸렸다.

2018년 3월 우리 가족 세 명의 졸업기념으로 피아노를 보내드렸다. 2019년 2월 22일 77회 졸업식에서 감사패를 받았다. 미리 준비해두어서 만류해도 소용 없었다. 15명뿐인 졸업생. 졸업생이 500명이던 시절이 아득하고 그립다. 도심 속의 섬학교 다목적 강당 선정 소식에 통영교육의 새 중심지 역할을 기대해 본다.

2019년 5월 5일 체육대회때 카스테라 빵을 전교생에게 보내어 행복했는데, 코로나 19로 모든 게 중단되어 아쉽다.

2021년 10월 20일 〈충렬큰빛관〉 개관식이 있었다. 국가의 큰 예산인 강당을 많이들 이용해야 할 텐데…. 학생 수가 급격히 줄어드는 시점, 여러 가지를 고려하여 학군 조정 등 합리적인 교육 행정이 절실히 요구되는 시점이라고 생각된다.

제2부

통영여자중학교 편

수석을 빼앗긴 국민학교 내신성적

1955년 3월 5일 통영여자중학교 입학식 날, 국가고시 수석합격자 유영교 졸업 양말련은 선서를 하고, 같은 유영교 출신 이행희 차석 합격자는 재학생 환영사에 답사를 했다. 충렬, 통영 학부형석은 남녀 혼합반 때문이라고 술렁거렸다.

총 400점 만점 = 입시시험성적 200점 + 내신성적 200점

순위	학생명	출신교	내신등급	내신성적	입학성적	총점	졸업 후 진학고교
1	양말련	유영	1급	200	196	396	마산간호고등학교
2	이행희	유영	2급	197	198	395	부산사범고등학교
3	박영희	거제	2급	197	197	394	부산사범고등학교
4	김순자	충렬	3급	195	198	393	통영여자고등학교
5	김정자	통영	3급	195	197	392	경남여자고등학교

2위를 한 이행희는 어머니가 통영여고 교사였지만 내신 때문에 수석을 놓쳤다며 불평하였다. 그렇지만 유영국민학교는 남학생과 여학생 반이 구별되어 있어서 내신성적이 유리했다. 남녀 혼합이었던 통영과 충렬 어학생들은 손해볼 수밖에 없는 구조였다.

아버지께서 약주를 기분좋게 드신 날이면 남학생을 우대해서 1등을 놓쳤다고 내 머리를 쓰다듬어 주셨다. 지금도 남아 있는 듯한 따스한 그 손길.

아! 아버지가 그립다. 보고싶다.

입학식 날의 기막힌 풍경 하나 더.

유영 출신 양말련과 충렬 출신 배궁자 둘이서 운동장 구석에서 서로를 노려보고 있었다. 두 사람은 초등학교 피구대회 결승전의 양쪽 주장선수였다. 또 피구대회가 열리나? 모두 달려가서 두 사람을 떼어놓았다. 모교에 대한 애착과 긍지가 그렇게 강한 시대였다. 졸업때까지 모교 일로 다투는 풍경을 자주 보았다.

기하 선생님과 그 아들과의 만남

통여중 1학년 김필목 선생님의 첫 기하 수업시간.

왜? 안타깝게도 선생님이 저런 병에 걸리셨을까? 아! 아! 안타까운 소리와 표정. 웃을 수 없었고 곧 익숙해져 갔다. 칠판용 삼각자, 컴퍼스, 각도기, 색분필로 정확하게 설명하시고 깨끗하게 정리한 내용이 선명하게 기억난다.

노총각으로 천주교 수녀님과 결혼하셨다는 소문이 바람결에 들려왔다.

약 58년의 세월을 넘어 기적같은 일이 2014년 1월 16일에 일어났다. 선생님의 장남 김창희 씨를 만나게 된 것이다. 그

것은 신숙자때문에 알게 된 동아일보 조용휘 사회부 차장님의 연결로 이루어졌다.

아버지의 흔적을 찾아온 아드님. 몇 차례 이사 중에 발견한 아버지의 유품을 따라 9세 때 돌아가신 아버지의 흔적을 찾아 현재 집필 중인《오래된 서울 2부》작업을 미루고 투병 중인 어머니께 돌아가시기 전 아버지 이야기를 책으로 드리겠다는 일념으로 통영까지 오셨고, 중학교 앨범으로 여러 궁금증도 풀어드렸다. 사모님은 간호사였고, 선생님은 통영을 떠나신 후 약학대학에 진학하여 수석으로 졸업 후 3년간 약국을 경영하시다가 폐결핵으로 돌아가셨다는 슬픈 사연을 알게 되었다. 동아일보의 뛰어난 기자이자 작가인 아드님의 성공도 보지 못한 채. 안타까운 일이다.

2016년 4월 7일 두 권의 책이 도착했다.

《오래된 서울 1부》와《아버지를 찾아서》.

"지금 그곳에 가면 다시 아버지를 만날 수 있을까? 50년 세월의 더께 속에서 발견한 아버지의 수첩과 사진. 잊힌 기억을 쫓아 남쪽 바닷가로 떠나는 아들 이야기"

하늘나라에서 두 분은 함께 이 책을 받으시고 기뻐하셨을 것이다.

통영의 딸 신숙자

2011년 6월 약 53년 만에 신숙자의 환상이 통영으로 돌아왔다.

2011년 6월 10일 아침 서호시장을 가던 중이었다.

포스터를 본 순간 그대로 멈춰서버렸다. 50년 동안 묻어둔 앨범 속에 신숙자가 그대로 있었다.

《주간조선》 2161호에 실린
신숙자와 두 딸의 표지 사진

2011년 6월 11일 남편과 친구 조정환 씨 셋이서 경상대학교 해양과학대학 신숙자 전시회에 갔다.

신숙자의 남편 오길남 씨가 쓴 《잃어버린 딸들 오! 규원, 혜원》 책 1권을 산 후 '소감 게시판'에 이렇게 썼다.

> "씩씩하게 살아서 꼭 다시 만나자"
>
> 통여중 9회 김순자

2011년 6월 12일 시내의 모든 교회에서 '신숙자 모녀의 생사확인 및 구출' 서명운동이 불붙기 시작했다.

6월 13일 월요일 《주간조선》 조성관 편집위원님께서 취재차 오셔서 소감 게시판에 글을 적은 나를 찾게 되어 현대교회 방수열 목사님의 연결로 함께 서호동 74번지 신숙자의 출생지와 그 자취를 더듬었다.

《주간조선 2161호》(2011.6.20~6.26)

표지 : 신숙자와 두 딸의 사진

제목 : 北 요덕에 갇힌 '통영의 딸' 구하자.

8쪽에 걸친 기사는 소중한 불씨가 되어 통영을 기점으로 신숙자가 다닌 마산간호대학의 후배들에게도, 통여중 동창회까지도 번졌다.

신숙자 구하기 운동은 매스컴으로 번졌고 친구로서 인터뷰를 거절할 수 없었다.

2011. 6. 28.   KBS 인터뷰

2011. 7. 28.   동아일보 인터뷰

2011. 8. 5.   SBS 현장 21 인터뷰

            1. 신숙자 생활기록부 열람

            2. 기념사진(앨범그룹 사진 촬영지 통영박물관)

2011. 10   KBS 취재파일 인터뷰

2011. 10. 22. KBS 남북의 창

타지방 출신인 통영 현대교회 사모의 교육 중 들려온 기도로 시작된 이 불길은 윤이상 작곡가와 신숙자 가족이 모두 통영인이어서 통영인이 나서지 못하는 미묘한 감정과는 전혀 상관이 없었다. 그래서 가능했을까?

신숙자는 중 2때 짝지였다.

외동딸이라 비싼 구렛바교복을 입고 다닌 것을 무척이나 부러워했는데, 숙자는 언니 교복을 물려 입어도 형제가 많은 나를 더 부러워했다.

마산간호고등학교 진학과 이사로 영영 헤어져버린 우리들은 파독 간호사로 오길남 박사와의 결혼을 진심으로 축하하면서 언제 한국에 돌아오려나 기다렸는데….

반기문 유엔 사무총장님께서 나서신 결과 최종 소식은 사망. 이후 모든 인터뷰를 거절했다.

우리들의 담임이셨던 이종석, 윤현숙, 하태옥 선생님께서도 매스컴으로 신숙자 사연을 아셨을까? 통일이 빨리 와서 아버지와 딸들의 만남이라도 이루어질 수 있도록 기도해야겠다.

현대교회에서 신숙자 운동을 위한 모금운동이 있었다. 친구들에게도 알리지 않고, 100만 원밖에 송금할 수 없어서 목사님께 미안했다.

밀수 운반, 밀주 운반

통영여중 2학년 5월 어느 날 학교에서 오자마자 국치마을 아저씨가 가져오신 큰 보따리를 이고 항남동 신생당 빵집 골목으로 따라갔다. 아저씨는 나를 그 자리에서 기다리게 한 후 화장품 가게로 가셨다.

불안하고 초조한 이상한 느낌은 적중했다.

지나가던 순경이 "학생 그것이 무엇이냐?" 묻는다. 냅다 던져버리고 한 걸음으로 달렸다. 하얗게 질린 내게 어머니는 빨간 영사를 갈아 먹였다.

조금 후 이상한 풍경. 국치마을 아저씨가 순경 아저씨와 함께 나타났다. 어머니는 술상을 차리고 아버지의 웃음소리가 들렸다. "분명 경찰서에 잡혀갈 것이라고 얼마나 가슴 졸였는데 참으로 어른들은 이상하구나!" 내게는 수수께끼였다.

통영은 일본과 가까워 해상무역이 발달하여 수출 후 돌아오는 뱃편으로 밀수품을 들여왔는데 국치마을에서 하역을 돕고 그 품삯으로 받은 화장품을 가게에 팔려다 벌어진 웃지 못할 에피소드였다.

할머니가 손수 누룩을 띄워서 빚은 탁주는 일품이다. 아침마다 걸러서 중근이 어머니 선술집으로 가져간다. 물동이에 박바가지를 띄우고 물을 길어 쓰던 시대라 자연스럽게 보이지만 들키면 안 된다는 것을 스스로 알기에 언제나 무서운 마음이 앞섰다 할머니 탁주맛이 도가집보다 훨씬 뛰어나 인기였고, 생활에 보탬이 된다는 것을 알기에 키 큰 언니 대신 내게 위험한 심부름을 시킨다고 불평할 수 없었다.

돌샘의 물 길어 나르기, 큰 밀가루 포대 운반, 탁주 배달로 키가 크지 못했을까? 왜 형제 중에 나만 키가 작을까? 행여 나는 주워 온 아이였을까? 엉뚱한 생각에 괜히 슬퍼지기도 했다.

수업료는 심부름으로

딸이어서 후순위가 된 수업료 때문에 시험 날이면 집으로 쫓겨간다. 서피랑 골목을 뛰어내려 올 때 왜 그렇게 웃음이 나왔을까? 여럿이어서일까? 항상 있는 일이어서일까? 시험시간에 겨우 도착하여 하얗게 비어버린 머릿속. 그 상태로 시험을 치룬다. 더 억울한 것은 벌청소다. 그 깊은 우물에서 도르래로 물긷기, 신숙자와 둘이서 굳은 얼굴이 되어 딸려 올라갈 것처럼 무서웠다.

어느 날 아버지는 내 바느질을 칭찬하며 재단을 배우라고 하셨다. 아버지! 저는 절대로 바느질하고 살지는 않을 겁니다. 무의식적으로 튀어나온 그 당돌함에 얼마나 서운하고 놀

바다 부른다.

제승당에서

한산도 여름 해양훈련과 8.15 시내 행진

라셨을까? 가난에 대한 반항이었을까? 이후로는 아무 말씀
도 없으셨다.

중 3 겨울방학 때 울산 군청으로 전근간 홍만이네 집으

로 외상값을 받으러 가게 되었다. 오전 9시 원양호로 출발하여 부두에서 전차를 타고 부산진 역에 오후 1시에 도착했다. 기다리는 4시간이 아까워 김지태 부산일보 사장님댁 근처에 살고 있다는 이종사촌 언니 집을 무턱대고 찾았다. 형부가 사주었던 얼음사탕을 그리며 언니 집을 찾아다녔지만, 끝내 찾지 못하고, 오후 5시 울산행 기차를 타고 밤중에 울산군청에 도착했다. 막 잠들기 시작할 때에 그 집에 도착하였다. 종일 굶어 배에서 꼬르륵 소리가 나며 잠이 오지 않았다. 밥을 먹었느냐고 묻지도 않아 밥 이야기는 꺼낼 수도 없었다.

다음날 부산 수정동 아는 집에서 잠깐 기다리게 한 후 외상값 가져오겠다던 홍만 어머니는 지금까지도 소식이 없다.

가덕도 무서운 파도를 지나 성포항에 닿았다.

통영김밥을 나무상자에 담아 어깨에 멘 청년들이 배에 오른다. 흰쌀밥을 김으로 말고 매콤한 무우김치, 오징어꼬지로 분리하여 멀미까지 없앤 과학적 통영김밥. 이것이 원조다.

부산–여수 간 10시간 항해 중 1끼 식사로 최고의 인기였다. 육지 교통의 발달로 여객선도, 쾌속정 엔젤호도 사라졌고,《김약국의 딸들》에 등장했던 창경호 사건도 잊혀져가는 게 아쉽다. 이제 그 통영김밥은 관광객의 한끼 식사로 인기다.

서피랑 언덕 꼬불꼬불 산길 중턱에서 개교한 열악한 환경의 통영여자중학교도 도천동 통영여자고등학교 뒤편으로 이전 신축하여 학교다운 멋진 모습을 뽐내고 있다. 학교 안으로 차가 들어가는 모습은 꿈만 같다.

2011년 8월 5일 통영여중에서 신숙자의 일로 〈SBS 현장21〉 인터뷰가 있었다. 방송 차량이 운동장으로 시원스레 들어왔다. 교무실에서 신숙자의 생활기록부를 열람했다.

아름다운 학교 건물, 적당히 늘어선 나무들. 다양한 여름 꽃이 만발한 화단에서 아나운서와 인터뷰를 하게 된 것이 내게는 꿈만 같았지만, 서피랑골목 산중턱 시대 통여중을 다녔던 신숙자가 이 학교를 보지도 못한 것을 생각하면 너무도 마음 아픈 일이다. 숙자야! 너는 없는데 너 때문에 여기 서 있구나!

방학중이라 조용한 학교 분위기였지만 후배들의 함성이 귓가에 맴도는 감동적인 시간이었다. 나라가 발전하고 잘살게 되면서 이렇게 근사한 학교와 시설에서 공부하게 된 것에 감사하는 후배들이 되기를 바란다.

6.25도 배고픔도 공산주의와 북한의 실상도 제대로 모르고 자라온 후배들이 영원토록 행복한 세상에서 자유민주주의를 꽃피우며 선진화된 삼천리 강산에서 살기를….

제3부

통영여자고등학교 편

3학년 2반 대의원 (김수자, 강원자, 염유선, 탁인례, 필자, 유시열 담임 선생님)

부끄러운 수업료 면제

꿈많은 여고 시절.

3월 입학과 동시에 고민에 빠졌다. 책가방이 무려 5개다. 어머니는 얼마나 힘드셨을까? 그런 이유로 딸들이 마산 한일합섬 공장으로 가던 시절이었다.

수업료 중 도비가 약 50%여서 약간의 면제자가 있다는 것을 어머니는 어떻게 아셨을까? 선생님께 찾아가 직접 사정하라고 하셨다. 면제자가 되어야 한다.

첫날 문화동 교사사택 담벽에 두 시간 가량 서 있다 돌아와 선생님이 안 계시더라고 거짓말을 했다. 둘째 날은 이문당에 들러 남겨둔 책을 읽고 와서 또 거짓말을 했다. 셋째 날은 용기를 내었다. 고개조차 들지 못하는 내게 아무것도 묻지 않는 선생님이 너무나 고마웠다. 유시열 선생님은 2학기 부터는 면제자를 50%는 성적순, 50%는 가정환경으로 공식화하셨다. 그 배려로 3년 동안 혜택을 받았다. 선생님의 고맙고 현명하신 일처리는 살아가는 동안 참고가 될 때가 많았다.

1959년 10월 19일 도천동 신축 교사로 이전하기 위해 약 2년간 예체능 수업시간에 벽돌 나르기, 운동장 고르기를 하였는데, 친구들이 쉬고 있을 때도 쉬지 않고 열심히 날랐던 것은 학교에 조금이라도 보답하고 싶었던 내 마음이었다.

아무도 그일은 눈치챌 수가 없었다.

수업료 면제는 평생 잊을 수 없는 내 자존심에 상처를 남긴 아픈 기억이었다. 그래도 3년간 계속 담임을 하셨던 유시열 선생님의 고마운 배려는 잊을 수 없다.

헌 교과서와 헌 교복

2월 학년 말이 되면 헌 교과서 물려받기 예약 전쟁이 벌어진다. 공부 잘하는 선배 책 물려받기 경쟁이 시작된다. 어머니 친구의 딸인 무남독녀 복미 언니의 책 예약은 내게는 행운이었다. 그 언니는 해마다 새 책을 샀기 때문이다.

소설책은 제일은행 앞에서 헌책을 24시간 하루 동안 빌려주는 이북 할아버지에게서 빌린다. 그분은 충렬 3학년 담임이셨던 조봉임 선생님의 아버지로 피난오시면서 가져온 책이었다. 밤 12시면 전깃불이 자동으로 꺼질 때여서 다 읽지 못하면 다음날 수업시간에 숨겨두고 읽었다. 신간 소설이 나올 때마다 이문당에 매일 들러 살 것처럼 하면서 며칠 동안 눈치껏 읽었을 때의 그 감명이란…. 그때 도서관이 있었더라면….

"일본인은 한국인을 겁내지 않는다." 한국인은 책을 읽지 않기 때문이다. 이 무서운 비판은 마음 깊이 새겨졌다. 지금처럼 입시지옥이 없었기에 독서를 많이 했을까!

헌 교복도 당연히 물려 입었고 싸구려 밀양제 천으로 만든 교복은 1년 입고나면 뒤집어서 1년, 또 1년은 염색해서 입고, 그러면 3년 동안 입을 수 있었다. 오죽했으면 영자가 셋이었는데, 그중 하나는 '물집영자'였을까. 3년 입고 물려준 언니의 모직구렙바 스카트는 대박이었다.

이 시대 아이들이 고마움과 절약을 모를까 두려워진다.

두 쌍둥이들이 다섯 살이 될 때까지 통영과 서울을 오가며 함께했을 때 인사하기와 에너지 절약, 두 가지는 평생 생활화하도록 해주겠다고 마음먹었다. 교회와 이웃의 어른들, 약국에 오신 모든 분께 무조건 먼저 인사하기를 강조한 결과 인사 잘하는 아버지를 닮은 쌍둥이로 소문이 자자했다.

에너지 절약으로는 필요 없는 불 끄기와 용도에 맞는 전구 사용 등을 가르쳤다. 이제 눈만 마주치면 "에너지 절약"을 기분좋게 외치는 아이들이 기특하고 고맙다. 새삼 교육의 중요성을 느꼈다.

들통난 절친 민자의 커닝

수업종료 5분 전 반드시 쪽지 테스트로 긴장 상태로 수업을 받게 하신 이지순 수학 선생님. 가장 빨리 정확하게 푼 한 사람만 확인하는데, 그 확인을 가장 많이 받았던 내게는 언제나 따뜻하셨다.

3학년 1학기 학기말 고사 수학문제 25문항을 모두 OX문제로 출제하셨다. 특이한 방식으로 4지선다형이나 주관식보다 까다롭고 어려웠다. 건너편 옆자리 민자가 자꾸만 보챈다.

"7번만 빼고 모두 X같은데…."

민자는 뒷소리만 듣고 모두 X. 학년에서 혼자 만점을 받았다. 평소 성적이 있으니 선생님이 민자를 교무실로 불렀다.

9번 문제를 풀어보고 X가 된 이유를 설명해보라고 하셨다.

놀란 민자는 건너편 순자 시험지를 흘낏 보니 X표가 많아 보여서 모두 X를 해버렸다고 거짓 자백하고 말았다.

둘이서 다툴 때면 언제나 먼저 손 내밀던 민자! 아들 딸이 서울서 결혼식을 할 때 큰 힘이 되어주었고, 인천 동생 병문 안에도 함께 동행해 준 한결같은 친구. 아들만 둘이어서 서울 갈때마다 만나면 함께한 우리 지영이에게 나중에 딸 역할을 부탁하며 이뻐하였다.

2002년 6월 16일 오전 10시 민자의 남편에게서 전화가 왔다.

"어젯밤 민자가 하늘나라로 갔습니다."

61세밖에 안 되었는데, 그렇게 빨리가다니! 오랫동안 가슴이 아팠다. 벌써 20주기가 되었구나. 민자 남편도 두 아들도 그만 연락이 끊어져버렸지만, 남편과 두 아들 모두 새 가정을 이루었다는 소식을 들을 수 있었다.

서울에 살면서 좋은 병원에서 진료받을 수 있고 경제력도 풍부했던 민자가 위암으로 빨리 세상을 떠난 건 두고두고 억울했다. 두 아들은 얼마나 어머니를 그리워했을까?

그리고 괴짜 수학 선생님은 어떻게 되셨을까?

두 여교사의 배울점은?

가정과 상정기 선생님의 '동물인형 만들기' 시간이다. 영자가 가져온 동생 헌바지로 얼룩무늬 사슴을 만들면 멋지겠다. 웃음꽃이 피었다. 다양한 소재로 동물원 구성에 모두 신이 났다. 설명을 하실 줄 알았던 선생님은 갑자기 "빈수레가 더 요란하다."라고 칠판에 써놓으시고 교무실로 가버리셨다.

노신정 주임 선생님께서 대의원들에게 가서 빌라고 하셨지만, 빌 일도 잘못도 없는 수예시간의 자연스런 현상이라고 변호사 배인자가 나서서 말렸고, 노 선생님은 남아 있는 러브스토리 2부를 우리들에게 들려주셔야만 했다.

그 이후로 우리들이 졸업할 때까지 상 선생님은 복도를 지날 때마다 "빈수레가 더 요란하다."는 합창을 들어야만 했다.

국어과목 김유신 선생님의 5차시. 붕어빵 먹다 5차시 교실로 들어서는 순간 "아차 국어시간이네!" 시간마다 반드시 출석을 부르시는 선생님께 딱 걸렸다. 출석 부르기가 겨우 시작이었지만 사정은 없다. 향지, 민자, 양자와 나 우리 네 사람은 이 지각 하나로 3년 개근상이 정근상이 된다.

선생님이 사시는 항남동 금강여관 언니 집으로 넷이서 열 번 넘게 찾아갔고, 학교 복도에서도 매일 따라다녔지만 소용 없었다.

선생님은 그 후 경남여고를 거쳐 부산교육대학 교수로 가셨다. 부산에서 교원시험 합격 후 인사드리러 갔을 때 "또 여기까지 왔느냐?"며 웃으셨다. 그 일을 기억하고 계셨던 것이다. 후일 공정해야 할 어려운 일에 부딪히면 선생님의 강직함을 떠올리며 결단할 수 있었다.

상 선생님은 서울사대, 김 선생님은 이화여대. 두 대학은 너무 달랐지만 가르침과는 거리가 있었다. 비난과 존경으로 엇갈렸다. 모든 것은 인성이 좌우하고, 또 가장 중요하다.

두 여교사의 존경과 비웃음의 차이는 어디에서 온 것일까?

60대 1 희극?

문화동 빨간 벽돌집. 서양 선교사가 살던 2층집이 통영여고. 전교 6학급으로 본관 교실 4개, 가교사 교실 2개, 조그만 운동장이 전부다. 지금도 그 벽돌집은 통영고등공민학교로 쓰이고 있다. 맞은 편에는 통영문화원이 신축되었고, 옛 운동장에는 몇 대의 차가 설 수 있는 조그만 공간이 남아있을 뿐이다. 어떻게 여기가 학교였을까? 그러나 그 당시에는 유일한 여자고등교육기관으로 통여고 뱃지는 부러움의 대상이었다.

1학년 때 운동장 구석 가교사를 쓰던 우리 반은 피아노 하나 때문에 음악실이 되었다. 음악시간이 되는 학급과 쉬는 시간 10분에 교실을 바꾼다.

음악 교실의 웃지 못할 에피소드 하나. 3학년 ○○○언니는 등교 전 피아노를 치고, 우리들이 교실 밖에서 기다리고 있으면 묘한 표정으로 나온다. 미안해서일까?

비가 올 때, 더울 때, 추울 때, 교장 선생님도 담임 선생님도 음악 선생님도 교실에 들어가지 못하는 60:1의 고통을 외면했다. 왜? 60명 모두는 알지만 아무말 못했다. 약자니까. 피아노 연습에 방해될까봐 끝날 때까지 조용히 기다렸다.

소녀의 기도를 더듬거리며 치던 그 언니도, 3학년 때 재일교포 어머니가 보내준 야마하 피아노를 받아 퇴근하시는 음악 선생님의 레슨으로 바이엘부터 시작했던 우리반 ○○○도 서울 소재 여자대학교 음악과에 진학했다.

학교 피아노가 유일했던 그 시절 음악대학 진학을 꿈꾸는 여학생은 쉬는 시간이면 음악 선생님 뒤를 따라다녔다. 지원만 하면 합격되던 여자대학. 정원 외 청강생제도가 있었다.

그것은 4년 과정을 중도에 그만두고 결혼하는 학생들이 많이 생겨 그 자리에 자동 편입되고 졸업까지 할 수 있는 제도였다. 특수대학이나 인기과가 아닌 여자대학에서는 청강생 제도를 활용하지 않으면 운영이 어려울 때라 평범한 대학을 꿈꾸는 부모 잘 둔 학생은 입시 걱정 없는 시대를 누렸다.

편지 소동

월요일 아침 운동장 조회시간. 최규식 훈육주임 선생님께서 느닷없이 편지 한 장을 들어 보이며, "건강하고 씩씩한 청년의 사진이 들어 있다." 붉으락 화나신 호령에도 운동장은 까르르 웃음판이 되었다.

최 선생님의 국어시간에 편지 주인공의 노래 〈창문을 열어다오〉를 부르다가 들켜버렸는데, 선생님이 "날 죽여, 날 죽여"하고 외쳤다. 그날 이후로 '날죽여'가 선생님 별명이 되어버렸다. 선생님은 왜 씩씩한 청년과 아름다웠을지도 모를 로맨스를 가로막으셨을까? 모두 불평이 많았다. 그 사건 이후 우체부가 교문에 나타나면 학생들이 먼저 달려가 받는다.

2학년 5월 대의원 회의에 갔다 오니 민자가 내게 온 편지를 개봉하여 야단법석을 떨고 있었다. 그 오빠가 통영을 떠난 지 2년도 넘었는데 뜻밖에 온 편지.

"꿈에도 잊지 못할 양에게" 제목부터가 놀림감이 될 수밖에 없는 상황이 벌어지고 만 것이다.

이인섭 오빠는 한실 이모님 댁 하숙생으로 통영수고의 대대장인 모범생으로, 주말이면 사촌 금자와 함께 정구를 가르쳐 주었고 수학문제도 정확하게 잘 푸는 나를 칭찬해 주던 한결같은 따뜻한 오빠였다.

졸업 후 떠나버렸고 그렇게 인연은 멈춰버렸는데…. 뜻밖의 편지가 소동을 일으켰다.

후일 경남도청에 근무하실 때 교사에게 필요한 자료들을 보내주셨다. 기다림의 아픔과 함께 긴 세월 동안 떠오르는 사람.

그게 첫사랑이었을까? 긴 이별은 지금까지도 계속 중이다.

책을 보내 드리려고 황영미 권사님 남편 김정균 수대 학장님께 바뀐 연락처를 부탁드렸는데, 22년 4월 14일 10년 전 돌아가셨다는 소식에 텅빈 공허가 가슴으로 밀려온다.

아! 이제 다시 나이를 되돌아보라는 신호가 왔구나!

졸업증명서 벌서기와 향지 친구

고교 3년 동안 책가방 속에는 입시책 대신 취직 공부 책이 들어 있었다.

2학년 때 충무시청 공무원 채용고시에 응시하여 불합격했다. 3학년 가을 부산시청 공무원 채용고시에 응시하여 1차 필기시험 합격, 2차 면접시험 합격. 이제 '졸업증명서'만 제출하면 발령이 나게 된다.

집에 전화가 없던 시절이다. 부산 부둣가에서 오후 4시 통영가는 원양호 배에서 아는 분을 찾아 편지를 집으로 보내고, 다음날 오후 1시 부산에 도착하는 원양호에서 보내 준 '졸업예정증명서'를 받는 일이 두 번 계속되었다.

졸업증명서를 끝내 제출하지 못한 나를 시장실로 부르셨다. 시장님께서 내 두 손을 잡으시고 내년에 꼭 와야 한다며 격려해 주셨다. 담임 선생님께서 증명서 때문에 밤중에 두 번이나 학교에 가셨다는 부모님 말씀에 가슴이 쿵 내려앉았다. 다음날 등교하자마자 교무실에 종일 꿇어앉아 있었다.

"건방지게 졸업증명서?"

"취직 공부는 언제했어?"

"부산여상은 졸업증명서를 해준다는 거짓말까지!"

한 마디씩 던지는 선생님들의 말은 내게는 비수였고, '거짓말'은 너무나 억울해서 내 자신이 불쌍해졌다. 부산여상은 실업계 고교라 특별히 혜택을 준 것이었는데, 같은 3학년이라 될 줄 알고 조급한 마음으로 연락한 것이 화근이었다.

내 가슴은 후회로 터질 것만 같았다. 그 일이 하루 종일 벌 받을 일이었을까? 집에 보내주지도 않았다. 여태껏 궁금하다.

선생님이 모두 퇴근하신 후 문단속하시는 전달부 아저씨가 발견하여 놀라시며 집으로 가게 해 주셨다. 향지와 민자가 기다리다 못해 학교까지 왔다. 우물가에서 퉁퉁부은 내 얼굴을 식혀준 후 우리 셋은 향지네 집으로 갔다. 향지 공부방 큰 테이블에서 함께 공부하고 수를 놓고 군용 침대에서 한 사람은 거꾸로 셋이 함께 잤고, 거름을 모아두는 큰 창고 화장실에서 기차놀이하듯 셋이서 소변을 함께하며 깔깔거렸다.

가정부 추도 언니의 꼬임에 화투를 배우다 큰 방으로 불려가 향지 아버지 앞에서 벌을 선 적도 있었다. 향지는 행운아였다. 마지막 통영읍장을 지내신 후 약종상을 하시는 아버지를 도우며 바둑을 배우고 두는 모습이 너무나 부러웠다.

향지는 수준 높고 교육열 높은 아버지 덕에 1년 후 부산대에 진학하여 대학 신문사에서 펜팔로 만난 아동문학가, 동요작곡가, 어린이운동가이신 윤극영 씨의 둘째아들과 결혼하여 효정, 경로 두 자녀의 어머니가 되었다.

1989년《월간문학》8월호에 신인상 당선으로 등단하였으며, 제4회 '현대시 작품상'을 수상했다. 저서로는《구절리 바람소리》,《내눈앞의 전선》등의 시집과《금강산은 부른다》,《지도 위에서 걷는다》등의 산악 관련 저서가 있다.

2004년 어린이날에 보낸 두 권의 책이 도착했다.

시인이고 작가인 며느리로서 가장 큰 업적은 책상 한 켠에서 덮개도 없이 빛과 바람과 담배 연기를 마시며 쌓여 있어, 손을 대면 푸설푸설한 상태인 시아버님의 원고를 찾아내어 고이 모셔서 1,600페이지가 넘는 2권의 책인《윤극영 전집 I - 동시, 시, 동요편》,《윤극영 전집 II - 동화, 중편소설, 미완성시나리오, 수필, 사회평론, 회고록, 이력서, 연보》를 펴낸 일이다. 그 정성과 노력이 눈물겹도록 가슴 찡한 감동을 준다. 영영 그대로 묻혀버렸을지도 모를 위대한 작가의 그 많은 작품들이 빛을 보게 되면서 사람들과 만날 수 있는 기적을 만들어 주시기 위하여 하나님께서 최남단 통영의 딸 이향지를 윤씨 가문의 며느리로 보내주셨나 보다. 이 두 권의 책은 대산문화재단 주최 탄생 100주년 기념 문학제에 추대되었고,《현대문학》창간 50주년 기념 사업 도서로 선정되었다.

새길이 생겨 길가 집이 된 서호동 향지네 집에는 이경건 오빠가 계셨다. 통영고등학교 다니실 때 축농증으로 수술을 하여 코에 침을 꽂고도 공부만 하시던 오빠. 마당에서 줄넘기하던 철없던 우리들. 오빠는 서울대학교 공과대학에 합격하여 그 시대에 드물게도 오스트리아 유학까지 다녀오셨다.

향지 어머니는 도배할 때마다 오래된 세계 지도를 소중히 옮겨 붙이시고는 아들이 있는 곳을 우리에게 자랑삼아 가르쳐주시곤 하셨다. 경건 오빠 대문에 한오삭도연구소, 부일BG건설주 서부경남사업소 간판이 붙여졌다.

신나는 화학 공부와 홍갑덕

시험 때면 수학·화학 공부를 함께하자는 콜을 받는다. 학원도 과외도 없던 때여서 도와주면서 함께하는 건 즐겁다. 누구네 집에 갈까 하는 것도 행복한 고민이었다. 이번에는 화학시험이 있는 전날 미리 부탁하던 홍갑덕이 집에 갔다.

"넌 일찍 자고 실컷 자고 만점? 참으로 이상하구나!"

잠이 오기 시작하면 아무 공부도 되지 않는 습성이 내게 있다. 시험결과를 보고 많은 시간을 더 공부한 친구의 넋두리다. 화학 공부에는 나만의 비밀 노하우가 있다. 원소 주기율표를 완전히 외워버린 것이다. 그것에 내 방식의 방정식을 대입시키면 거의 풀 수 있다. 그렇게 정확히 풀어지는 것이 너무나 신기했고, 그래서 신나고 재미있는 화학과목이었다.

어느날 아버지와 친구처럼 지내시는 강정주 교장 선생님께서 부산대 약학대학 진학을 제의하셨다. 등록금과 학비 일체를 제공하고 졸업 후 약사면허증을 드리는 조건으로.

3개월만이라도 남아 있었다면…. 입시는 커녕 취직공부만 했기에 거절하였는데 두고두고 후회가 되었다. 응시라도 해볼 것을…. 결과야 어떻든 손해될 일도 없는데…. 화학만은 자신 있었는데…. 그러나 그 일은 내게 큰 용기를 주었다. 노력하면 길이 열릴 수 있다는 믿음을 가지게 되었던 것이다.

지금처럼 아르바이트나 장학제도가 있었다면 가능할 수도 있었는데, 가난해서 진학할 수 없다는 것은 슬픔이고 아픔이었다.

그 옛날 화학공부하러 갔던 홍갑덕이 집이 우리 아파트 바로 아래에 있다. 결혼한 지 약 10년 후 남편이 외국에 먼저 나가게 되어 홍갑덕이가 아들과 친정에 머무르게 되었다.

아들을 당시 충렬초 1학년이던 딸 지영이의 반에 입학시키고, 멋쟁이 서울 어머니로 매일 학교에 같이 다니다가 서울로 떠난 일이 생각난다. 차장혁 선생님이 간혹 결근한 날에는 담임을 대신해서 수업을 했는데 서울 어머니라 인기였다.

4.19 데모의 선봉에 서다

1960년 4.19의거가 마산에서 통영으로 옮겨왔다.

학급대표 3명씩 구성된 대의원들은 통영고교, 통영수고, 통영상고 대의원들과 데모 실천 계획을 세웠다. 선생님들은 부모님까지 만나서 만류했지만 소용 없었다. 타오르기 시작한 데모의 불길은 공설운동장을 출발하여 간선도로를 지나 시청앞 집결 후 해산하였다.

이때 눈에 파편이 박힌 채로 마산 앞바다에 떠오른 김주일 사건은 온 나라를 들끓게 만들었다. 세상은 변하여 이제 교사들이 데모를 지도하는 느낌이었다. 아버지께서 이인우 시장님으로부터 똑똑한 딸을 잘 두었다는 비난과 핀잔을 받으셨다는 것은 후일에야 알았다. 정치도 경제도 오로지 공부밖에 몰랐던 어린 가슴속에 피어난 진실이 아닌 불의에 대한 분노와 나라사랑의 마음이 바로 4.19였다. 순수함 그 자체였다.

그런 가운데에서도 우리는 학급회의를 통해 졸업비와 앨범비를 10개월에 걸쳐 나누어 걷기로 정했는데, 수금하는 일이 내게 맡겨졌다. 그 수고에 대한 보답으로 키네도 사장님이 내게 무료로 앨범을 주셨다. 앨범편집 위원 7명 중에 선정된 것은 자랑이었다. 편집활동을 신나게 한 기억이다.

졸업식 전날 간단한 사은회가 있었고, 선생님에게 놋그릇 1벌씩을 드렸고, 학교 졸업선물은 '히말라야시다 나무심기'였다. 헌신적인 오원덕 교장 선생님께서 농장에 직접 가셔서 예상보다 많은 나무를 가져오셔서 신축 2년차의 허허벌판 운동장 둘레에 손수 심으시던 모습이 지금도 잊혀지지 않는다.

키 1m 정도였던 그때의 어린 나무들이 30년 후 모교 동창회에서 만났을 때 아름드리 고목이 되어 학교를 감싸고 있었다. 그 모습이 보기 좋아 '참 좋은 졸업선물이었구나!'하는 생각이 들었다. 우리는 행복한 10회 졸업생이었다.

4.19가 일어난 지 이제 60년이 지났지만, 4월이 오면 그때의 감격으로 벅차오른다. 여고 시절로 되돌아갈 수는 없을까?

졸업 앨범 편집위원들과 편집후기

뒷줄 왼쪽부터 필자, 반영옥, 양미혜, 김수자, 이향지, 염유선, 장영숙,
앞줄 왼쪽부터 3학년 1반 최규식 선생님, 3학년 2반 유시열 선생님

자랑스런 통여고 10회들

1960년대는 모두가 어려웠던 시대였다. 꿈과 실력이 있어도 가난하면 진학도 불가능했고, 특히 최남단 통영의 조건은 열악했지만 우리 10회는 용감했고 줄기차게 뻗어나갔다.

운영위원장 김수자는 경북사대 졸업 후 부산대 교수로, 김미선은 의사, 서혜자는 약사, 양미혜는 이화여대 영문과 출신답게 명강사로 활약했다.

엄옥자는 경희대 체대 졸업 후 부산대 교수가 되었고, 인간문화재로 승전무 계승자가 되었다.

이향지는 부산대를 졸업하여 여류작가로 활동 중이고, 대대장 염유선은 이화여대를 졸업하고 동창회 부회장으로 모

석암클럽 후배들과 함께. 가운데 줄 왼쪽 세 번째가 필자

김순자, 정옥자, 주인공 2인, 황옥지, 이선자, 박행자, 필자 (1996년 5월 18일)

교 신축강당에 그랜드 피아노를 기증하였는데, 형제가 12명이어서 '한타스'라는 별명이 붙었다.

송경화는 도천동 송약국 손녀로 기억되며 인물 좋기로 소문난 집안이었고, 숙명여대를 졸업한 후 서울대 소아전문의 문 박사님과 결혼하여, 모든 동창들이 걱정없이 아이들을 키울 수 있도록 든든한 울타리가 되어 주었고, 문 박사님은 통영의 자랑스런 사위가 되어주셨다.

김연은 서호동 논새미 골목길 친구다. 해양경찰과 결혼했는데, 아름답고 고운 마음씨가 통영 바다에 물든 시가 되어 2009년 순수문학으로 등단하였다. 〈시가 내게로 온 날〉, 〈조약돌〉, 〈매실을 보며〉, 〈민들레 홀씨〉, 〈길은 그곳에 있었다〉 등의 등단시가 있다.

반영옥은 6.25때 피난오신 아버지께서 통영 최초로 박사님 치과 '반치과'를 개원하셔서 수준높은 진료를 선물하셨다. 영옥이의 코에 생긴 점은 인상적이고 오히려 예뻤다. 6.25 피난으로 서울에서 점빼는 치료를 중단한 게 아쉬웠다. 이제 우수한 성적으로 숙명여대를 졸업한 영옥이다운 실력으로 보험사 경영자가 되었다는 소식이 들려왔다.

안두희의 아들 박형기가 두룡초 1학년에 다닐 때 담임을 맡았다. 남편 박춘봉 대위님은 월남전에서 귀국 서울로 함께 떠났다. 성적이 뛰어났던 형기는 서울공대를 졸업하여 삼성건설을 거쳐 사장이 되었고, 아버지는 회장이다. 두희에게는 잊혀지지 않는 에피소드가 있다. 입학 초기에 김구 선생님 암살범이라고 놀렸지만, 두희는 착한 순둥이로 눈물을 머금는 모습에 모두 머쓱하고 미안해졌다. 그 뒤로는 입을 다물었다.

전광자는 부산교대를 졸업 후 경남 교사로 출발 부산시 사서 교사로 근무, 추금덕은 진주교대 출신으로 교장이 되었다.

임경애는 '미스충무 선'으로 활약했고, 미국으로 건너가 부부목사가 되었다는 소식이 전해졌다.

김쟈자, 유수자, 장영숙, 황순자, 홍갑덕은 10회가 배출한 여류화가들이고, 장영숙, 황순자는 미술 교사로, 이옥화는 무용 교사로, 김쟈자는 충무시청에 근무했다.

유수자는 후일 신학을 거쳐 전도사로, 중국 선교 8년 개척교회 후 지금은 서해안 안면도에서 기도생활을 하면서 이젠 육지가 된 안면도로 놀러오라고 친구들을 부른다.

이경자는 결혼 후 서호시장에서 남편과 함께 상점을 하시는 시어머니에게 매일 아침 따뜻한 식사와 변변한 열기구도 없던 시절 난롯불을 피워다드렸다. 이 두 부부가 어머니를 섬기며 순종하는 모습은 고금을 통틀어도 찾기 힘들 것이다.

유정자는 수년 간 홀로 남편을 간호한 열녀다. 남편이 세상을 떠난 후에도 그리워만 하는 모습이 안타깝다.

손준자는 졸업 앨범 첫 면에, 통여고 기수로 멋지게 등장했다. 부산대 졸업 후 고등학교 교사로 근무했고, 피아니스트였던 천숙희는 통영의 초등학교 교사로 재직하였는데, 준자 오빠 손 대위와 결혼 시누 올케 사이가 되었다. 어린 시절 해방다리 꼬마 순자가 큰 거인이 되어 나이 80에 출간함을 축하하는 준자. 미국 먼 곳의 강선자의 출간 축하 전화가 너무 고맙다.

이경자가 셋. 제일교포 2세와 결혼한 일본 경자가 왔다. 23년 4월 21일 첫눈에 통여중 이복선 수예 선생님 언니처럼 곱게 나이든 모습이 아름답다. 주길자, 이순금 넷이서 개통한 강구안보도교를 건너 이순신공원, 남망산공원에서 62년만의 회포를 풀고 일본 성경이 어려워 성경과 찬송가를 선물했다.

김추자는 진주사범에 진학, 여름방학에는 추자 할머니의 토마토를 매일 먹고, 충렬 백을순 선생님 교실에서 오르간 숙제를 했다. 추자가 쉬는 틈에 연습한 것이 후일 교사 생활을 할 때 큰 도움이 되었는데, 추자는 정년을 마쳤다.

최고의 소프라노 김선혜는 계명창과 이론시험으로 수를

받은 내게 "누가 수일까?"하고 불평불만을 했었는데 여태껏 소식을 모른다. 주소가 사천이었는데 졸업 후 가버렸나 보다.

황옥지는 남편에게 온순하고 착한 아내의 표본이 되었다.

육진 김순자는 간호사 출신으로 남편에게 신장을 기증했고, 남편을 헌신적으로 간병하여 현대판 열녀로 지금껏 건강하게 지내는 것은 열녀에 대한 하나님의 보답이 아닐까 싶다.

호심 정옥자는 우리 10회 동창뿐 아니라 통여고 동창의 상징이었고, 남편의 헌신적인 협조가 있었다.

이선자 권사는 태평교회에서 만난 한옥근 선생님과 결혼 지휘자 장로님이 되었고, 김길자 권사는 아들 유경진을 미국 캘리포니아의 한인교회 목사님으로 키워냈고, 천명순 권사도 장로의 아내다.

사랑교회 김쟈자 권사님 남편 유정부 집사님은 G.S.I. 코리아 대표로 해외출장이 잦아 2년간 제자 교육을 수강하지 못해 장로임직을 못했다. 그러나 아내를 해외 의료선교를 13차례나 나가도록 뒷받침해 주어서 우리나라 최고의 수준 높은 권사를 배출시켜 주신 그 큰 믿음에 감사하지만, 장로직분을 받지 못한 아쉬움이 언제까지나 남아 있다. 큰딸 수혜는 금속공예 전문가로 공방을 운영하고 전시와 강의를 하며 이웃에서 자매처럼 살고 있다. 작은딸 지혜는 미국 메디슨에서 디자이너로 활약, 부모님과 이모님을 초청하여 장기간 여행으로 섬겼다. 쟈자 부부는 시어머니와 친정어머니를 함께 모신 효부효자다. 지혜가 시아버지 상을 당하여 2022년 4월 22일 부부가 한국에 왔다. 2023년 6월 7일 부부가 미국 딸에게 다니러 갔다.

김호자 권사는 국민학교 6학년 때 아버지가 돌아가셔서 가게를 하게 된 최정연 권사 어머니를 도와 살림을 하며 세 동생을 키웠다. 새벽기도로 시작되는 어머니의 큰 믿음은 김창수, 김우성 두 아들을 목사로, 막내인 김일성을 변리사이자 장로로 키우셨다. 이 세 형제 가정과 동창인 부산의 김수자 권사와 남편인 조운복 장로님, 형님 조운옥 장로님 두 가정이 충무교회 출신으로 협찬하도록 하신 최정연 권사님 조카이신 최정주 집사님의 노력과 열정으로《충무교회 100년사》가 탄생했다는 소식을 뒤늦게 알고 감격했다.

특히 이영숙 권사님, 최인호 김혜주 아들 부부, 최인정 따님의 가족 할렐루야 찬양대는 아름다운 풍경이고, 최인호 집사님은 경남경찰청 지역팀장 약 7,200명 중 최우수팀장 2명 중 한 사람으로 선발되었다.

마지막 교정을 보면서 여고 3년 간 담임을 맡으셨던 유시열 선생님께 책을 보내드려야겠다는 생각이 들었다.

여생을 대구에서 보내시는 선생님을 약 4년 전 서울 10회 동창생들이 직접 찾아뵈었다는 이야기가 생각나 친구 김쟈자 권사에게서 연락처를 받았다.

2022년 3월 23일 뜻밖에 여자분이 전화를 받아 직감이 이상했다. 선생님께서는 작년에 지병으로 입원중 코로나 19로 돌아가셨다고 한다. 사모님께서 몇 년 전 통영에 들르셨을 때 감사했던 제자들에게 고마움을 전해달라고 부탁하셨다.

선생님께 언젠가는 은혜를 갚아야겠다고 마음 먹고 있었는데 그 마음을 펴보지도 못하게 되었다. 오늘밤은 선생님과의 옛 추억이 되살아나 잠 못 이루는 밤이 되었다.

졸업 후 처음 맞는 봄날 용화사에서
왼쪽부터 김쟈자, 필자, 이민자, 김부민, 김영자, 이향지, 박행자, 이옥화

축 학생의 날

혁명정신계승하여
조국통일이룩하자

상기하자광주의거
이어받자 四월혁명

 사월의

 사자들

제4부

교사 시절

광도 국민 학교 제25회 졸업기념 1968.2.19

대학 대신 국가 검정고시 합격

3학년 도덕과목 시험 시간 심우형 교감 선생님은 시대사건인 "노동자와 사장님"이란 제목을 칠판에 쓰신 후 백지를 나누어 주시며 생각대로 쓰라고 하셨다. 뒤에 알고보니 시대를 앞서 간 논술고사였다. 다음 주 도덕 시간에 내 번호를 부르셨다. 양편의 입장을 잘 반영하여 공정한 판단으로 답안을 작성한 학생은 하나뿐이라고 칭찬을 하셨다.

어느 날 퇴근하시던 교감 선생님께서 화단 청소를 하고 있는 나를 부르셨다

"어디로 진학할 예정이니?"

가슴이 터질 것 같았다. 못한다는 대답은 목에 걸려버렸다.

"너는 꼭 법대에 가거라."

"앞으로는 여성 법관이 많이 배출될 것이고, 너는 실력 있는 법관이 될 수 있을 거야."

그 따스한 격려를 가슴 깊은 곳에 묻어버렸다.

졸업 후 부산의 타이프라이터학원(지금의 컴퓨터학원)에 다니던 중 동아대학교 총장실 직원 채용시험에 합격하였고, 면접만 남았다.

"아! 어쩌면 이 대학 야간부 법대로 진학할 꿈을 이룰 수도 있겠구나! " 그 당시 동아대 법대 야간부는 최고 인기였다.

가슴 깊은 곳에 묻혀 있던 그 꿈이 깨어나 행복한 며칠을 보냈는데, 생각지도 않았던 수험표 하나가 부쳐져 왔다.

1961년 5월 16일 군사혁명으로 탄생한 군사정부는 각급 학교의 병역미필 교사를 무조건 입대시켰고, 엄청나게 모자라는 교사를 보충하기 위해 국가검정고시를 처음으로 시행하였다. 충무시 교육청에 373명, 통영군 교육청에 257명이 접수하였는데, 고모부인 서정수 교장 선생님이 원서를 부모님께 주셔서 나도 모르게 접수되어 수험표가 온 것이다.

1961년 7월 4일 예비소집. 장소 : 부민국민학교
1961년 7월 5일 시험일. 장소 : 동신국민학교 37고사장
1961년 7월 18일 합격자 발표

합격자 발표일 아침부터 내린 폭우로 갇혀 있는데, 친구 승강이가 라디오에서 내 번호를 들었다면서 달려왔다. 도교육위원회와 부산일보사에서 전화로 합격을 확인했다.

교원 검정고시에 갑자기 응시하게 되어서 부산 초량동고개에 통영서 이사온 해방다리 충렬 동창생 김용명 동생의 참고서와 헌책방에서 교육학 책 한 권을 구입해서 용어 정리를 해 본 게 전부였는데 합격한 것은 뜻밖의 행운이었을까? 생각할 때마다 수수께끼 같은 일이다. 용명 어머니는 늘 따뜻하게 대해 주셨는데, 김용명은 부산대 상대를 졸업하여 후일 조흥은행장이 되셨고, 크리스천 아내를 만나 진실된 기독교인으로 통하는 사이가 되어 교회, 성격지식, 소식을 전하며 서로 기도할 수 있음에 감사하다.

12,000명 넘는 응시자 중 132명만 합격. 별 따기보다 어렵다는 교원자격증과 교사 발령까지 양손에 떡을 쥐고 기쁨은 잠시 기로에 섰다. 나를 위한 길과 가족이 원하는 길 사이에서 괴로웠다. 총장실 면접시험과 교원 2차 시험이 같은 날인

7월 24일 오전이었다.

1961년 7월 21일 1차 합격자 예비소집일.

132명 1차 합격자 중 30명은 군 입대 예정자로 발령 가능자는 약 100명. 도 장학사님은 크레파스만 잡고 오르간과 뜀틀에 앉기만 하면 합격이라며 심각한 교사 부족을 위해 2차 응시를 간곡히 당부하셨다. 합격 소식을 듣고 부산에 오신 어머니는 광복동에서 평생 처음 에니카손목시계를 사주셨다.

얼마나 교사가 되라고 말씀하시고 싶으셨을까?

1961년 7월 24일 2차 실기시험일.

뜀틀을 넘고 오르간을 쳤다.

충무시 교육청에서 한 명만 합격해서 "마당만 빌리자"는 모란 개 부자집 어장 아들의 청혼까지…. 에피소드도 많았다.

만약 교원검정에 불합격했더라면 법관이 되었을까? 영원한 수수께끼다. 합격이 꼭 좋은 것만은 아니로구나.

고교 졸업으로 교사가 된 것이 자랑거리인 아버지께서는 약주를 드신 날이면 대학에 보내지 못한 것에 미안해 하고 아쉬워하셨다. "너를 꼭 대학에 보냈어야 했는데, 아들보다 더 크게 될 수 있는 딸인데…." 아버지에게 도로 미안해졌다.

첫 부임지 화양국민학교에서
섬마을로

1961년 9월 1일자로 통영군 산양면 화양국민학교에 김명규 선생님(입대기간 61.9.23~ 63.9.4) 후임으로 임시교사 발령을 받았다. 여교사는 7명이었는데, 3주간 실습하였다. 박도원 교장 선생님께서 교육청에 또 여교사를 보냈다고 항의한 이야기를 듣고 미안해졌다.

떨어진 옷처럼 해어진 교실벽을 자주 강조하시는 교장 선생님 말씀에 기와지붕 횟가루 반죽을 부탁받으신 아버지께서는 시내 곳곳을 누비고 구해주셨다. 다음 일요일에는 종일 교실 낡은 벽과 구멍을 책상과 걸상을 포개놓고 메웠다. 온

학교가 놀랐고, 바보같은 짓을 했다는 놀림도 받았지만, 즐거
웠고 보람된 일이었다. 이후로 여교사 타령은 없어졌다.

영운, 달아, 연명마을의 가정방문날.

6학년 학부형들이 모여서 전교 교사들 저녁을 대접한다.

달밤에 산타루치아를 부르며 학교마을에 도착했다. 친구
생이와 둘이는 총각선생님들에게 인기가 많았는데, 김○○
선생님은 꽃잎과 풀잎 장식으로 쓴 러브레터를 우리 둘에게

화양국민학교 제13회 졸업사진

차례로 보낸 것이 들통나 창피를 당했다. 그러나 이웃학교로 이동 후 후배와 결혼했는데, 진취적이고 연구심이 뛰어났던 열정으로 교수가 되어 떠나셨다.

나무 그늘에서 오르간만 치고 노래만 가르쳤다는 윤이상 선생님의 자취가 남아 있는 교정에서 박도원 교장 선생님은 오르간으로 작곡하고, 정숙렬 선생님이 노래 부르게 하셨다.

봄날 오후에는 케아에서 배급 온 급식용 옥수수가루로 쑥 버무리를 만들게 해서 전체 교사들이 맛있게 먹었다. 참으로 소탈하신 분이셨다.

처녀 여교사라 무조건 맡겨진 가을 운동회 매스게임. 백지 상태인 나를 맹훈련시켜 매스게임을 성공시키고, 면 체육대회에 찬조출연하게 하고, 군 내 여교사 대표로 진주교대에서 무용강습을 이수한 후 전달 교육까지 무사히 성공하게 해주신 충렬국민학교 때 은사이자 응원단장이셨던 제종길 선생님을 잊지 못한다. 여성적인 몸매와 천부적 무용 소질로 내게 자신감을 심어주셨고 여교사의 긍지를 살려주셨다.

1963년 9월 4일 임시교사 기간이 끝나고 학교 부근에 본가가 있는 노대국민학교 정병소 교장 선생님의 매스게임 부탁으로 섬학교 무용교사로 가게 되어 창작무용을 나름대로 완성했다. 학교 무용에 대한 자신감도 생겼다.

상노대, 하노대 두 섬이 마주한 곳. 하노대 아이들은 쪽배를 타고 상노대에 있는 학교로 등하교하였다.

면 소재지가 있는 큰 섬 원량초등학교 연구발표회에 참가하고 돌아오던 어느 날, 돛단배를 탔다. 달빛에 바람 따라 흐르고 뱃전에 닿은 바닷물이 미끄러지듯, 어느덧 공포는 사라지고 조상들의 지혜에 감탄하게 된다. 일생에 한 번뿐인 잊지 못할 감동의 순간이었다.

섬 생활이 외롭다고 부모님의 권유로 4학년 막내 순금이를 전학시켜 함께하다가 벽방국민학교 발령으로 돌아오게 되었다. 그러나 나중에 알고 보니 그 방에서 목을 맨 자살사건이 있었다는 것을 아시고는 순금이를 보내신 것이라고 한다. 평생에 한 번뿐이었던 섬학교 생활. 바다가 아름다운 저녁노을에 물들 때면 그때가 떠오른다.

하노대 부자 어장집에는 부산서 온 대학 졸업생 며느리가 낳은 아이 둘이 학교에 다녔다. 도시 아이같은 복장으로 쪽배를 함께 탔는데, 훗날 어찌되었는지 궁금하다.

벽방국민학교 정규교사 발령

1963년 12월 경남교육위원회에서 교사 서열고시를 시행하였는데, 시험과목은 교육학 1과목이었다. 638명 응시자 중 통영군에서는 23위와 59위를 한 두 사람이 1차 시험에 합격하였다.

23위의 내 성적은 파란을 일으켰다. 59위를 한 사람은 이화여대 교육심리학과를 졸업한 고교 선배였다. 교육학을 전공한 선배보다 고졸인 내 점수가 더 높았기에 남편의 은사이신 김상렬 장학사와 최선경 장학사 두 분은 가는 곳마다 실력파라고 칭찬하셨는데, 그것이 그 선배에게 너무 미안했다.

1964년 3월 9일 벽방국민학교에 정규교사로 발령이 났다.

법적 출근시간은 9시였으나, 이인표 교장 선생님은 8시로 정했다. 첫 버스 도착시간이 8시 10분 경이다. 통근할 수 없도록 10분에 심술을 걸었다.

학교 뒷산에 안정사라는 유명한 신라 시대 사찰이 있었다. 그 절에는 고시 준비생이 많았고, 후일 산업통상부장관을 지낸 정해주 동창은 지날 때마다 우리 교실을 향해 손을 흔들어 주었다. 이제는 안정공단이 조성되면서 아파트단지가 들어섰고 학교건물이 신축되어, 옛 교실 자리는 임간교실로 꾸며져 누구나 근무하고 싶은 아름다운 학교로 변했다.

벽방초등학교 개교 100주년을 축하합니다.

(1922~2022)

100주년의 꿈을 찾고 1000년을 물들이는 벽방교육이 되겠습니다.
● 꿈을 품고 행복을 담는 산(SAN)울림 교육
● 공존의 숲을 가꾸는 생태환경 미래학교
● 배움과 가르침이 있는 배움 중심 수업 나눔학교
● 나눔과 배려로 성장하는 세계시민학교

100주년 기념 작은 운동회가 5월 2일과 3일에 열렸다. 남편은 벽방초등학교 25회 졸업생이다.

그곳에는 특별한 인연이 있었다. 중학 진학을 미루고 사환이 된 까까머리의 총명한 정재운이라는 소년이 있었다. 종일 등사판에 시험지를 밀던 때 책과 용기를 준 인연으로 우리 학급을 유독 특별하게 대했다. 후일 부산에 있는 대형 약국에 취직시켜 주었는데, 영어를 묻는 사장님께 배워서 오겠다고 하였다. 열심히 독학으로 공부하여 공무원 시험에 합격하여 정년까지 시청에 근무하였고, 두 아들을 신부와 교사로 키우며 모범가정을 꾸렸고, 2010년 거제에서 동생 남편 선거 때 격려와 도움을 주었다. 이제 그 인연이 50년을 넘었나 보다.

부지런하고 성실한 사람은 나이와 상관 없다. 정년퇴직 후 받게 된 연금은 아내에게 선물로 주고, 차도 없애고 아르바이트로 생활한다. 아내는 1주일 동안 창원에 신부로 있는 작은 아들과 지내고, 주말은 남편과 통영에서 지낸다. 코로나 19가 약해지면 매운탕이라도 함께 먹자고 약속했다.

코로나 19가 너무 길어져 21년 12월 30일 팔도식당에서 만나 대구탕을 먹으며 그동안의 회포를 풀었다.

구정에 맛있는 사과를 선물로 보내 주어서 고맙게 먹었다. 부디 건강하라는 한 마디 인사를 보냈다.

광도국민학교의 통근생활

1965년 9월 29일 자로 광도면 광도국민학교로 발령이 났다. 시외버스로 30분 정도의 통근거리라 처음으로 가정을 꾸렸다.

부임하는 날 연락도 없이 뜻밖에 친정아버지와 시숙님이 함께 나타나셨다.

윤진우 교장 선생님께 사령장을 드리자 "왜 이 학교에 왔느냐?"하시며, 노발대발하면서 교육청에다 욕을 마구 퍼부었다. 너무나 갑작스러운 분위기에 얼마나 당황했던가!

임신한 여교사라는 이유 하나로 고개 숙인 그 현장을 두 분은 어떻게 감당하셨을까? 어느새 두 분은 말없이 사라지셨고,

1학년 교실 담벼락에 붙어서 한없이 울었던 기억이 난다.

통근 교사 13명을 도착 순서대로 점수화했는데, 나는 항상 13등 지킴이었다. 꼴찌 전속은 내 평생 처음 있는 일이었다.

오후 6시 20분 시외버스를 타야 하는데, 종례가 늦은 날은 제법 먼 거리라 빨리 오기 힘들다. 그럴 때면 한쪽 발만 버스에 올려놓고 차장의 독촉도 아랑곳없이 배불뚝이인 나를 먼저 태운 후에 오르시던 김우진 선생님의 배려와 고마움은 지금도 잊혀지지 않는다.

시내버스도 택시도 자가용도 없던 시절, 고성 장날 만원버스에 시달린 날의 숨 가쁨을 모두 이겨내고 하루도 빠짐없이 출퇴근하면서 건강한 아이를 출산한 것은 하나님의 축복이었다. 그당시에는 법과는 달리 후임교사가 배치되지 않아 학교도 힘들었고 나 자신도 미안했다.

전교 학부형들을 반강제로 동원하여 학교의 긴 돌담을 완성시키고, 경남 시범학교에 선정된 것은 교사들의 헌신과 희생의 결과다. 가장 중요했던 도서관 운영까지 맡겼던 교장 선생님은 창영으로 떠나실 때 처녀라면 함께 갈 것이라고 격려해주고 가셨다. 이 학교에서의 힘들었던 과정을 통해 어느 학교에서나 당당하게 자신감 있게 일할 수 있는 능력을 기를 수 있었고, 처음의 지옥같은 상황이 나중에는 천국으로 바뀔 수 있는 것 역시 노력으로 가능함을 알게 되었다.

가끔 생각해 본다. 그 시절 교원노조가 있었더라면 부임 첫날 그런 기막힌 서러움을 당했을까? 법적인 후임교사가 배치되지 않아 학교도 임신한 교사로 인해 어려움이 많았겠지만…. 그래서 교원노조가 생겨났는지도 모른다고 생각한다.

후일 YWCA 초대 회장이 되어 통영에서 유일했던 광도 초등학교 수영장을 교섭하여 주부수영교실을 운영하였다. 버스편도 마련하여 주 5회로 수영교실을 운영하며 운동장에 들어설 때면 참으로 만감이 교차했다. 회원들이 수영할 때 그 넓은 수영장 주변을 매일 혼자서 청소했다.

왼쪽편 가교사 교실을 바라보면서 문득 스쳐가는 옛시절의 기억. 오후 3시경이면 터질 듯 부풀어 오르던 젖가슴을 안고 교탁 안에 숨어서 젖을 짜낼 때의 그 아픔과 엄마를 기다리는 아기의 아픔, 이 두 가지 아픔이 언제까지나 함께했다.

두룡국민학교는 걸어서 출근하는 감사

1968년 9월 1일 자로 충무시 두룡국민학교로 발령이 났다. 아! 걸어서 출근하는 이 행복. 꿈은 아니었다.

둘째를 임신 중이라는 이유로 이행진 교장 선생님께 감시당했다. 중간 보건 시간에도 체육복을 입고 학생들과 함께 뛰었고, 철저한 오후 수업과 방과후 지도를 통해 일제고사에서 월등한 성적을 거두어, 4개월 후 정년퇴임을 앞둔 교장 선생님을 놀라게 했다. 내게 불평할 수 없었다.

10월 3일 개천절 일직 때 검푸른 회색빛으로 변하고 거미줄까지 엉켜 있는 교무실 커튼을 내려서 세탁했다. 6학년 청소당번이 어두침침했던 유리창을 말끔히 청소해서 교무실 모습은 확 달라져버렸다. 교장 선생님께서는 크게 놀라셨다. 지난 8월 여름방학 때 여선생님들께 세탁비를 주겠다며 특별히 부탁하셨다는 커튼 세탁, 그런 사실을 전혀 모르고 한 일이었는데 도리어 다른 여선생님께 미안한 일이 되어 버렸다.

11월 1일 종례 시 박용섭 교감 선생님께서 전교 순시 결과 월훈, 학습게시판, 시사판이 정리된 반은 3학년 3반 우리 반뿐이라고 칭찬하셨다. 새 학년이 되자 가장 중요한 서무업무가 내게 맡겨졌다. 공문 접수부와 발송부에 폴더 번호를 매겨 기록 정리한 작은 아이디어는 모든 선생님들에게 인기를 끌었다.

평일과 공휴일을 섞어 일직을 서게 한 희안한 일직제도를 만들어 정보순, 박정순, 박숙명, 진휘자 등 주부 교사들을 골탕 먹였던 몇 년 된 고질적인 여고사의 일직 문제를 서무담당자의 권한으로 해결했다. 평일에는 평일대로, 토요일은 토요일대로, 일요일과 공휴일은 그 순서에 맞춰 명쾌히 정리했으므로 악용한 처녀 교사들은 불평할 수 없었다. 공정했으니까.

그 이후로 여교사들은 불만스러운 일만 생기면 나를 앞장세웠다. 주부 교사들은 너무 험난한 시대를 지나왔다.

시부모님을 모시고 1남 3녀를 키우며 문화동에서 걸어서 출퇴근하시던 정보순 선생님. 현관에 들어서면 "컴퓨터 도착, 조회 시작합시다!"하는 정종택 교장 선생님의 유머. 후일 통여중으로 승격 이동하여 우리 부부 모두와 함께 근무한 인연을 맺기도 했다. 지금은 부산에서 약국을 경영하는 큰딸 혜경 씨가 통영을 떠나기 싫어하는 부모님을 새 아파트까지 마련하여 편하게 모신다는 소식이다.

일요일 일직날 박정희 대통령께서 친구인 김종길 국회의원 후보의 지지연설까지 운동장에서 하셨는데 낙선이었다.

학교 건물이 신축되었다. 6.25 이후 남파된 간첩이 여교사에게 접근하여 연인 관계로 발전시킨 후 그 교실 천정 속에 숨어 살며 총구멍을 뚫어 이승만 대통령 암살 준비를 했으나, 전날 불빛이 새어나와 발각되었다. 밤중에 대통령 강연장을 충렬학교로 옮긴 유명한 일화를 통해 통영은 제2의 모스크바라는 누명을 쓰게 되었다. 모르고 사랑에 빠진 한 여교사로 인하여…. 헐어버린 낡은 학교 건물과 함께 그 일화도 어느새 잊혀져가고 있지 않을까!

겨울엔 따뜻하고 좋은 먹거리에, 정 많고 변함없는 통영인의 심성 덕분에 통영을 거쳐간 분들에게 통영은 노후를 보내고 싶어하는 1순위 고장이 되었다.

도 교육감님의 고마운 배려

부부 교사에 대한 인사 혜택은 그림의 떡이었다.

남편은 의령중학교에서 고성중학교로 옮긴 후 시외버스, 도보, 자전거로 통영·고성 간을 통근했다. 기간이 되어 통영 여중으로 내신했으나, 교장 선생님은 친구 딸인 처녀 교사를 희망한 상태여서 남편은 아예 포기했다.

혼자 많은 생각을 하다 도 교육감님께 아무도 모르게 편지를 보냈다. 남편의 통여중 발령은 학교를 놀라게 했다. 큰 수수께끼였고, 교장 선생님은 노발대발하셨다.

원래 부지런하고 성실했던 남편은 점심시간에는 합창 지도로, 방과후에는 합주 지도로 경상남도 최우수상을 휩쓸게 되었다. 음악부는 선망의 대상이 되었고, 수수께끼는 묻혀가면서 누구도 인사 이동에 불평하지 않았다.

새 학기 5월 김주익 도 교육감님이 초도순시차 충무에 들러 우리 부부를 남망산 산장으로 초대하였다. 이때 홍태종 교육장님도 오셔서 '아름다운 편지'라며 격려해주신 일이 알려지게 되어 모든 수수께끼도 풀렸고, 남편도 그때서야 알게 되었다.

순시 도중 교육감님께서 순수하고 정직한 '부부교사 편지'에 감동받았다는 칭찬으로 교사들을 격려한 일로 인하여, 한때 편지 붐이 일었다. 그러나 어느 교사의 모함 편지로 불호령이 내려진 이후 잠잠해져 버렸다.

어려운 환경인 우리들을 선처해주신 교육감님의 은혜를 오랫동안 간직했다.

후일 고마움을 잊지 못해 통영 특산물로 조그만 선물 2개를 준비하여 부산 대신동 사택까지 직접 찾아갔었다. 사모님은 너무 반가워하셨고 위로해 주시며 마음만 받겠다고 하셨다. 그래서 나오면서 대문 간에 자개꽃병 한 개를 살짝 두고 달아나버렸다.

고등학교 교원자격 검정고시

산후조리와 겹쳐 2급 정교사 강습 2번째 기회를 또 놓쳤
다. 그 강습이 이제 없어진다는 불안함 때문에 1971년 부활된
'고교 교원자격 검정고시'에 응시하기로 마음먹었다.

퇴근 후 6살, 4살된 두 아이를 재우고, 남편의 일과인 피아
노레슨이 끝난 밤 10시부터 새벽 2시까지 약 3개월 공부했다.

역사, 가정 두 과목을 두고 생각하다 현장에서 수업하기 재
미있고 여자라 유리할 것 같아서 가정을 선택했다. 검정고시는
대학 4년과정을 마친 수준으로, 60점을 넘어야 합격이다.

책만 펴면 신이 났고 학생이 된 것같은 착각이 들었다. 종
일 학교생활의 피곤함도 온데간데 없이 집중되는 자신이 너

무 이상했다. 남편은 사서 고생한다며 위로해주었다. 가정생활, 직장생활에 공부까지 하겠다는데 얼마나 안쓰러웠을까?

1971년 8월 12일 내년을 목표로 출제경향이라도 알아볼 겸 편안한 마음으로 응시를 했다. 큰 항목 10개, 1항목에 10점씩이다. 작은 항목도 문항별로 점수가 표시된 작은 책자 1권을 배부받았으며, 모두 주관식으로 구성되었다. 점수가 상세하게 표시되어 웬만하면 자신의 점수를 가늠할 수 있었다.

밖에서 기다린 남편이 "어떻더냐?" 묻는다.

"웬만하면 60점은 될 것 같은데요."

"한참 모르네. 밤에 그 정도 공부하고 합격한다면 하늘의 별을 딴 것이지." 너무 부끄러웠다. 내년으로 미루자. 그래서 9월 10일 합격자 발표도 잊어버렸다.

9월 22일 밤 우체부가 합격증을 내미는 꿈이야기로 핀잔받는데, 3교시 수업 도중 도교육위원회로부터 급히 전화가 걸려왔다. 도에서 합격증을 수령하여 바로 서울로 가서 2차 시험에 응시하라는 연락이었다. 하지만 실기시험을 준비하지 못해 최종 불합격되었다. 만약 역사 과목을 선택했더라면 어땠을까? 역사 과목에는 실기가 없었으니까.

아깝고 잊지 못할 용감한 도전이었다.

촌지로 모교 충렬에 나무심기

1971년 10월 1일 교사 생애 최고의 날. 모교인 충렬국민학교로 발령받았다.

졸업 후 16년 만에 꿈에 그리던 모교에 부임하며 가슴벅찬 감격에 감사했다. 충렬국민학교의 뒷동산은 아름다운 공원으로 학생들의 놀이터로 변했다. 음악시범학교 발표준비로 종례 후에야 각종 전달사항을 처리한 후 8시 이후 퇴근할 때면 달은 높이 떴고, 가을 낙엽은 스산한 바람에 우수수 떨어졌다. 그렇게 집에 오면 아이들은 잠들고 있었다.

얼마나 기다렸을까? 아이들 눈가의 눈물자국에 마음이 아팠다. 그나마 아이들과 한 학교에 다니게 된 것에 감사했다. 이 시대의 교사들이 부럽다.

5월 말 일제고사의 날 1교시 후 딸 아이가 백짓장 같은 얼굴로 달려와 쪽지를 내게 내밀고는 눈물을 글썽거렸다.

"선생님이 답지를 잘못 주셨구나!"

가만히 딸을 안았다. 놀란 딸은 그날 시험도 평소보다 잘 못 치루었다. 고민 끝에 교감 선생님께 건의하여 1교시 국어 과목을 4교시로 바꾸었다. 국어는 받아쓰기 문제로 정답표가 1교시에 공개된 것을 10분 쉬는 시간에 악용한 것이었다. 전교 선생님들은 시간표가 바뀐 사연 속에 무서운 음모가 있었다는 것을 영원히 몰랐을 것이다.

촌지 이야기는 주고받는 사람 모두가 궁금해하지만, 솔직하게 묻기도 답하기도 곤란한 문제다. 일곱 학교를 거쳐오면서 촌지를 받은 것은 충렬뿐이다. 학교의 선호도가 촌지와 관계가 없다고 하기도 어렵다. 그래서 충렬은 선호도가 높다.

1972년도부터 학년 초, 봄·가을소풍, 추석, 설, 학년말이면 간단한 선물을 제외하고는 500원, 300원, 200원(현재 돈으로 5만 원, 3만 원, 2만 원 정도) 정도의 촌지를 받았다.

학생수가 60명 정도인데, 그중 약 10명 정도의 학부형이 직접 인사한다. 행사 때마다 빠지지 않는 학부형은 거의 없었고, 1년 내내 얼굴을 비치지도 않는 학부형도 많았다.

충렬에 5년 넘게 근무하면서 학급 일에 약간 쓰고 남은 금액이 약 5만 원(현재 돈으로 500만 원 정도)이 모였다. 네 형제와 아들딸 6명이 36년, 교사로 약 6년, 여동생이 교사로 약 1년, 어머니 회장, 주부교실 회장 5년. 모두 48년의 역사와 인연이 간직된 곳이 충렬이다.

1977년 3월 2일 인평국교로 발령을 받아 떠나던 날, 한을식 교장 선생님께 별도로 모아두었던 5만 원을 드렸다. 놀라셨고 고마워하셨다. 그 후 본관 뒷뜰에 심은 나무를 '김선생 나무'라고 명명했다는 연락도 주셨다. 모교에서 받은 고마운 뜻이 담긴 촌지를 나를 위해서는 쓸 수가 없었다. 그렇게 할 수 있는 지혜와 용기를 주신 하나님께 감사한다. 2017년 5월 6.25 이야기 강사로 갔을 때 보니 교실 신축으로 나무들은 다른 곳으로 옮겨졌다.

한을식 교장 선생님의 사모이신 강우점 권사님을 돌아온 충무교회에서 만았다. 너무 반갑게 맞아주셨는데, 남편은 돌아가셨고 자녀들은 외지로 떠났는데 95세로 혼자 계신다는 게 놀랍다. 둘째 딸 진희의 담임이었던 것을 기억하고 계셨다. 작은 선물에 손수 만든 인견 바지를 2벌을 우리 부부에게 도로 주셨다.

유치원 원장 자격연수

통영중앙유치원 후배 배도수 시의원님의 추천으로 1999년 12월 27일~2000년 2월 11일(181시간 이수)까지 청주 소재 한국교원대학교 종합교원연수원에서 유치원 원장 자격연수를 받았다.

공채의 기회가 없어서 원장 채용이 어려워 스스로 개척해야 하는 게 아쉽다.

약 2개월에 걸친 연수기간 중 월요일 새벽마다 거제 큰별유치원 우낭자 목사님과 무궁화유치원 서정미 선생님과 출근길에 마산까지 합승하여 창원·마산지역의 연수팀 버스에 합류시켜 주셔서 청주 연수원까지 연결시켜 주신 김현문 장로님께 감사드린다.

원경숙 권사님은 통영 YWCA 회장과 복지관 관장을 맡으셔서 통영 여성 활동과 사회봉사의 반석을 닦으셨고, 경남 도의원으로 눈부신 의정활동을 하셨다. 그런 분이 대리점 개설로 힘들었던 그 옛날 불편한 교통편으로 고향 거제에 함께 가셔서 피아노 세일을 도와주셨는데, 지나고 보니 감사뿐이다. 두 부부와는 충은교회에서 다시 충무교회로 신앙의 인연도 함께했다.

두 분의 고마움은 평생 마음속 깊은 곳에 자리잡고 있다.

배도수 권사님은 통여고 21회 후배로 탐라대학교 경영학 석사이며 통영여자중·고등학교 총동창회장을 비롯 교육분야 의정활동 중이시다. 대통령상을 비롯 장관상, 의정봉사상 등 다수의 상을 수상한 바 있고, 2022년 6월 1일 지방선거에서 3선에 성공하여 통영의 큰 일꾼으로 기대되고 있다

제5부

결혼생활 편

결혼식 사진 (충무교회, 1964년 12월 2일)

인연은 찾아오는 것

면 소재지 이웃 산양국민학교에는 사범대 출신의 젊은 교
사들이 많았다. 그래도 교사가 부족하여 전달부가 강사로 투
입되던 혼돈의 시대, 교사의 질은 극과 극일 수밖에 없었다.

재미있는 예로, 모 전달부 강사는 중간 보건시간에 "체조
대형으로 벌려!"라는 용어가 생각나지 않아 "모두 희떡희떡
퍼져!"라고 외쳐 기막힌 웃음판이 벌어졌다. 그는 학교를 떠
날 때까지 '희떡퍼져'로 불렸다.

1962년 8월 여름방학 때 통영여고에서 음악연수가 일주일
간 있어서 이웃 학교 선생님들과도 자연스레 가까워지는 기
회가 있었다. 1962년 10월 9일부터 제1회 한산대첩기념축제

합창경연대회가 열렸다. 통영·두룡·유영·충렬국민학교 팀의 합창이 끝나고 산양국민학교 팀이 남편인 장상명 선생님의 지휘로 〈둥실둥실〉로 시작하여 〈산토끼〉까지 동요의 연곡을 합창했다. 쥐죽은 듯 고요했던 충무극장은 우레와 같은 박수로 모두를 열광시켰고, 최우수상을 수상하여 지도력의 중요함을 확인시킴과 동시에 충무지역에 화제를 일으켰다.

그 감동의 순간들이 내 마음을 열게 했을까?

아무런 준비 없이 교사가 된 내게 격려와 용기를 주며 다가왔다. 남편은 음악교사였지만 체육기능도 탁월했다. 군민체육대회 때는 교사팀의 달리기 마지막 주자로 달려 우승하였고, 교직원 배구대회에서는 전국 고교배구대회 우승팀 선수답게 팀을 승리로 이끌었다. 함께 근무하신 이병택 선생님은 부산사대 미술과를 나오셨는데, 시골학교를 어느 학교도 따라올 수 없는 아름다운 환경으로 바꾸었다.

점심시간과 방과 후 합주 합창 지도는 시골 어린이들에게 용기와 희망을 주었고, 두 교사는 관내

산양교에서 장상명, 이병택 선생님

제1의 수준높은 산양국민학교 시대를 열었다. 그후 이병택 선생님은 부산금성중학교로 스카웃되셨는데, 참 멋진 분이셨다. 지금은 어디에 계실까? 한 번 만나뵙고 싶다.

결혼을 서두르는 부모님께 내게는 한마디 의논도 없이 결혼하고 싶은 사람이 있다고 폭탄선언을 해 버렸다. 고마운 임정순 선생님! 장모님과의 약속으로 고민하던 남편을 위해 계를 조직하여 2번으로 해결사 역할을 해주신 분. 그 고마움을 기억한다. 그집 둘째아들과 우리 아들과는 오랜 친구다.

1964년 12월 2일. 충무교회에서 이득홍 목사님 주례로 결혼식을 올렸다. 신랑 예복 한 벌에 내 자존심이 무너지는 아픔이 있었다. 양복점을 운영하는 형부가 신랑 예복을 책임졌는데, 오후 7시 도착 약속이 11시로 미루어져 연락 수단이 없을 때라 예비신랑은 결혼식이 하루밖에 남지 않아 혼자서 예복을 맞춰버렸던 것이다. 이 일은 두고두고 나에게 미안하고 아픈 상처로 남았다.

두 사람이 결혼식 후 평상복을 입고 시외버스를 타고 마산 북면 온천에 하루밤 다녀왔는데, 사진 한 장도 없다. 그것이 신혼여행이라고 할 수 있을까? 하지만 감사하다.

결혼 전 장모님과의 몰래 약속. 동생 학비와 예단 비용에

충무교회에서의 결혼식과 안정 시댁에서의 첫 인사

쓴 곗돈으로 살림을 차릴 수 없다는 것을 2개월 후에야 알았다. 왜? 어머니는 그렇게까지 하셨을까? 평생 물어보지 못한 수수께끼로 남아 있다. 그 부끄러운 일을 일생 동안 간직만 하고 어떠한 경우에도 꺼내지 않고, 평생 동안 함구해 준 남편에 대한 고마움은 갚을 길이 없다.

딸을 결혼시키게 되었을 때 좋은 것으로 아끼지 말고 되도록 하고 싶은 것으로 조금도 서운하지 않게 하라고 몇 번을 당부하던 남편은 참으로 좋은 아버지다. 이런 남편이 딸과 재미있게 소통하는 것을 보는 것은 또 하나의 행복이다.

다섯 번의 셋방살이 후 내 집 마련

결혼 때 진 빚 때문에 약 2년이 지나서야 서호동 한옥집 모퉁이 한 칸에 세 들었다. 창문 없는 골방, 겨우 두 사람이 들어갈 만한 공간이다. 옷장을 넣기 위해 원상복구 조건으로 벽까지 뚫었다.

어느 봄날 갑자기 내린 소나기로 웅덩이로 변한 연탄 아궁이…. 남편의 애지중지 키운 화분 20개는 주인집 부엌에서 겨울을 못넘겼다. 좁은 돌담길뿐이라 임신한 배 앞에 물통을 대고 물을 긷던 일. 모든 게 최악의 조건이며 작은 공간이었지만 함께하는 것은 행복이었다.

첫아이의 해산이 가까워 방 두 칸의 집을 계약했는데, 소식 없던 주인집 장남이 갑자기 나타나는 바람에 방 한 칸을 양보할 수밖에 없었다. 아파트는 생기지도 않았을 때다.

1966년 6월 18일 토요일 아침. 출근 준비 중 양수가 터져 종일 진통하다가 다음날 새벽 3시 시민병원에서 첫아이를 낳았다. 여름 밤이라 어머니는 복도에서 의사는 의자에서 졸았다.

1967년 3월 남편이 의령중학교로 발령나게 되어 돌봄이와 셋이 한 방을 쓰게 되었다. 그런데 갑자기 중학교에 입학한 시골 조카를 상의도 없이 데려와 네 식구가 한 방에 살게 되었다.

세 가구 총 16명이 살던 집에 재래식 화장실이 한 곳이었다. 조카가 남자아이라 화장실로 가서 속옷을 갈아입으려다 노크 소리에 놀라 빠질 뻔한 무서운 일도 겪었다. 이후로 조카는 하숙집으로 옮겼는데, 나은 환경에서 함께하지 못한 게 마음 아팠다. 그러면서도 농사를 크게 지으면서도 쌀 한 톨 주지 않는 게 그때는 왜 그렇게 서운했을까? 내가 용렬한 탓인가?

주인집 장남의 결혼으로 갑자기 세 번째 이사를 해야했다.

서호동 골목 안 아주 큰 방 하나를 둘로 나누어 길가쪽 반을 우리에게 세를 주었는데, 칸막이 벽과 천정 사이를 20cm 정도 띄워두었다. 그곳이 통로가 되어 음식냄새, 말소리, 담배 연기가 넘어오는 게 가장 큰 고통이었다. 이상한 구조였는데 왜 막아달라는 말을 한 마디도 못했을까? 세를 사는 사람은 항상 약자였다.

남편이 고성중학교로 전근오면서 네 번째 이사를 했다. 친구 경자가 시집와 살았으며, 대궐처럼 큰 집에 네 가구가 살았다. 새벽과 저녁시간 피아노 레슨을 했고, 네 가구 모두가 갓난아기의 헝겊 기저귀를 세탁해서 쓰던 시대였다. 이름과 번호를 수놓은 우리 기저귀는 바뀌지도 없어지지도 않았다.

다섯 번째로 이사간 곳은 서호시장 부근의 작은 아래채.

비오는 날에는 마루까지 물바다. 늦봄부터 찜통으로 변하던 양철지붕 밑 작은방 2개다. 위채마루에서 우리를 간섭하시던 주인 할아버지. 품위 있고 조용히 글을 쓰시던 할머니는 상처하신 할아버지의 예배 모습이 너무나 안쓰러워 수녀옷을 벗게 되었다고, 어느 날 결혼 이야기를 내게 들려주셨다.

결혼 7년 만에 겨우 마련한 대지 20평에 건평 13평의 아주 작은 집. 페인트 칠과 도배, 집손질 모두 두 사람이 신나게 손수 했다. 13평의 작은 공간에 피아노가 3대, 식당, 부엌을 제외하면 집 전체가 피아노로 가득찬 느낌이었다.

그 당시에는 학원이 없었고 교사들이 과외를 하던 시대였다. 어느 해 추운 겨울 새벽 레슨생을 위하여 난로불을 피워

두고 잠깐 잠든 사이에 갑자기 환해지는 환상에 놀라 깨니 작은 방 커튼에 불이 붙고 있었다. 동네를 태울 뻔한 아찔한 순간이었다.

남편은 새벽부터 밤까지 레슨과 학교생활, 나는 주부로 학교생활과 밤중의 검정고시 공부를 했다. 지나고 보니 참으로 열심히 억척스럽게 살았던 그 시절이 하이라이트가 아니었을까?

그렇게 열심히 노력한 결과 딸이 고등학교 2학년 되었을 무렵 항남동에 3층 벽돌집을 지었다. 22평 대지를 효율적으로 이용하여, 층마다 밝고 쓰기 편리한 아이디어를 설계사에게 제공하여 후일 잡지사에서 극찬하며 소개하기도 하였다.

1층은 대리점, 2층은 거실, 안방, 부엌, 3층은 아들 딸 공부방, 옥상에는 남편의 수석 작업실과 예쁜 화단, 빨래터가….

딸이 고등학교 3학년 때는 수인이 엄마와 학교에 저녁 도시락을 전하고 미륵산 등산을 했다. 아름다운 동행이었다. 밤마다 버스정류장으로 딸 마중을 나갔다. 피아노가 있는 예쁜 방을 꾸며주었는데 대학생이 되어 떠나버렸다.

이제 모든 것을 정리하고 미륵산, 푸른 바다, 케이블카, 루지, 통영대교가 보이는 아름다운 산밑 아파트로 왔다.

매월 음력 초순에는 창 너머로 짝지어 있는 초승달과 별 하나, 중순경 새벽에는 안방 침대에서 주황색 반달을 볼 수 있다.

벚꽃이 만발했을 때 할머니와 함께 떨어지는 꽃잎을 향해 손뼉치며 함박웃음 웃던 아이! 진달래 꽃이 피면 할머니가 만든 진달래 꽃전을 맛있게 먹던 그 아이! 지금도 진달래가 피면 꽃전을 찾는 이쁜이! 우리 옆 203호에 살던 외손녀 예서가 그리워지며 내곁으로 다가온다.

예서는 우리에게 기쁨을 안겨준 첫손주다.

통영관광호텔에서 이삐 예서 (세 살때)

전화가 없던 시대의 기막힌 일

1967년 6월 첫 수요일. 갑자기 내린 비로 광도국민학교에서 모심기 가정실습을 하였다.

아들 지훈이를 데리고 의령으로 갔다. 도착하니 의령중학교도 가정실습으로 남편이 충무로 가버려서 우리는 충무로 돌아왔다. 충무에 먼저 도착한 남편은 우리가 걱정되어 도로 의령으로 찾아가게 되었다. 환승지인 마산터미널의 충무행 버스에서 우리 둘을 찾던 중 고향친구를 만났다.

"우리 가족이 타더냐?"고 물으니 친구는 "타지 않았다." 그 말만 믿고 만원 버스 뒷자리에 앉아있던 우리를 찾아보지도 않고 의령으로 갔다가 또다시 충무로 돌아왔다. "모른다."고

했으면 뒷자리까지 찾았을 텐데.

그 날 우리 부부가 충무·의령 간을 다섯 번 오고갔다. 휴대폰, 아니 집전화만 있었더라도 한 번으로 족할 일이었는데⋯. 마산터미널에서 확인만 잘 했어도 한 번은 줄일 일이다. 그 일은 두고두고 잊혀지지 않는 시대의 아픔이었고, 모든 일을 스스로 끝까지 정확히 확인하라는 큰 교훈을 주었다.

아들은 멀미를 하지도 울지도 않았다. 세 사람은 건강한 모습으로 만날 수 있어 감사했다. 시무룩하던 아들은 아빠를 보고는 깡충깡충 뛰었다.

그 먼곳 의령에 작은 불씨 두 개가 살아 있었다. 50년 전 의령농고에서 음악을 배운 제자 이정희와 신재화다.

창원에 살고 있는 이정희 교장은 2022년 1월 6일 휴대폰 번호가 바뀌었다는 소식과 함께 새해 인사를 보내왔다.

대구에 살고 있는 신재화와 창원의 이정희. 이 두 사람은 새해면 소식을 전해주어 선생님을 기쁘게 하는 작은 불꽃이다. 후일 이정희 선생님 소개로 오빠와 신재화가 결혼하여 두 사람은 시누올케가 되었다. 교통사고로 오빠가 빨리 돌아간 후 조카들과 열심히 살아가는 신재화 올케 언니를 응원한다. 언제나 따뜻한 두 사람을 코로나 19가 끝나면 어디에서든지 만나고 싶다.

영광의 가계부 수상 3회

여성 잡지의 최고봉인 《여원》과 《여성중앙》에서 개최한

가계부 쓰기 전국대회에 세 번 당선되었다. 수상은 두 번뿐이

었지만, 영광이며 소중한 재산이어서 가보로 간직한다.

주식회사 여원에서 주최한 <살림잘하는주부상> 시상식

첫 번째 당선(주식회사 여원 주최)

1969년 4월 11일 서울의 국민회관에서 거행된 시상식에 둘째아이의 수유로 남편이 대신 참석했다.

두 번째 당선(주식회사 여원 주최)

1970년 4월 11일 수상계획을 1970년 2월호에 발표한 후 곧 폐간되었고, 시상식은 갖지 못해 수상하지 못했다.

1989년 1월 9일 약 19년 만에 《여원》이 복간되었다. 그당시의 수상자들이 항의하자고 연락을 해 왔지만 만류했고, 편집국장에게 질의서를 보냈다.

답장이 왔다. 현재 사장에게는 책임도, 시상 계획도 없다고.

약속된 시상을 책임진다면 시상 비용보다 몇 배나 더 큰 선전효과와 아름다운 모습을 보여주는 큰 그릇임을 입증하는 일일 텐데 아쉬웠다.《여원》에 대한 책임 없이 그 이름을 써도 될까. 인터넷, 유튜브의 응원팀이 그때에 있었더라면….

세 번째 당선 ^(여성중앙 주최)

1972년 3월 30일, 시상식 후 다음날 동양TV 아침마당 프로에서 좌담회가 열렸는데, 녹화는 생각조차 못했고 지방에서는 시청할 수 없었던 때여서 서울 사는 동창들이 서로 전화로 알

려 시청한 다음에 뒤에 알려주었다.

생활기록 면에서는 부모님 용돈 드리기, 아껴쓰는 물건들로 최우수 평가를 받았다.

특히 50년 전 이모님이 주신 귀가 큰 미제바늘, 검정머리핀, 60년 전 친구 옥화가 선물로 준 칼 달린 일제 눈썹연필. 여태껏 녹슬지 않는 명품이라 지금까지도 애용 중이다.

시아버지 초상때 아이들 기운 속옷을 보고 놀란 시가족들은 절약하며 검소하게 사는 것을 이뻐하셨다.

소, 돼지 우리가 비어있으니, 돼지 새끼와 송아지를 사주면 잘 키워 불려주겠다 하여 여러 마리를 사드렸다. 후일 큰 돼지는 조카들 결혼잔치에 잡고, 소는 의논없이 팔았는데 돈의 행방은 모른다.

시숙은 조선소 작업장이 협소하다며 매물로 나온 500평 대지를 우리에게 살 것을 강요하며 학생을 인솔해 간 극장까지 남편을 찾아가셨다. 힘든 대출로 지불해드렸는데 등기가 오지 않아 알아보니 시숙이 매매해버렸다.

공부에 도움을 준 형님께 은혜 갚는다고 생각하기로 했지만 최소한의 설명과 양해도 없이 모든 약속을 어긴 것이 몹시

서운했다.

《여원》사에서 받은 상장과 상패,《여성중앙》에서 받은 상장은 거실에 걸려 있다. 물려줄 재산은 없지만 딸과 며느리에게 가보로 전하고 싶다. 내 삶의 흔적을 기억해 주기 바라는 마음 때문이다.

이 책이 완성되는 날 조그만 꿈도 이루어질 것이다. 열심히 살아온 삶이 한 권의 책이 되어 남는다는 게 얼마나 소중하고 감사한 일인가? 꿈만 같고 기적으로 다가온다.

제6부

가족 이야기

시부모님이신 장덕윤 장로님, 심회기 권사님

시부모님 장로님 권사님
교회 부지 헌납

　　장덕윤, 심회기 두 시부모님은 안정4구 잿곡마을을 기독교 마을로 바꾸신 분으로 널리 알려져 있다. 두 분의 기도는 이승만 대통령의 기독교인을 살리라는 특명과 함께 인민군이 점령했던 이 마을을 위기에서 구해냈다. 1964년 3월 우연인지 이 마을에 있는 벽방국민학교로 발령이 났다.

　　새벽기도로 시작하는 가정예배와 자녀를 위한 기도는 모두를 살아가게 한 큰 힘과 원동력인 축복의 근원이었다. 시아버지는 기초화장만 하고 다니는 내게 화장이 짙다고 하시고, 또 학교에서 동네 아이들 벌 세운 것까지 간섭하시던 보수적이고 매우 완고하신 분이셨다. 바닷가 산비탈에 마을 처음으로 예포교회를 세울 때 논 다섯 마지기를 헌납하셨고, 지금의 안정중앙교회로 이름을 바꾸어 신축 이전하려 할 때 현재의 교회 부지를 우리 몫으로 주셔서 헌납하여 최고의 위치에 교회를 건축했다. 둘째아들인 남편이 목사가 되기를 원하셨지만, 결국 남편은 교사가 되었다. 그러나 부모님의 기도는 4대에 이르는 축복을 주셨다.

장상명, 김용무, 이종실, 장상만 장로님은 아들, 사위, 조카다. 강정순, 김순자, 장상이, 장말이, 장추자, 장옥련 권사는 며느리와 딸들이다. 장동식, 이양민, 이영실, 박정우. 한태열, 이신근, 김신관, 김근석, 김신도, 김성도, 정해춘, 공인민 장로는 손자와 외손자, 손녀사위들이다. 구순애, 장동선, 장동숙, 김판선, 박정애, 박순애, 박덕애, 박복애, 방춘녀, 김신순 권사는 손자며느리와 손녀, 외손녀들이다.

외손자 김성훈은 목사로, 증손자 장은택은 신학대학원을 졸업 목사 안수를 앞두고, 증손녀 사위 박형태는 목포교회 외국인 담당 목사로, 증손녀 장보라는 여전도사로 4대에 이르고 있다. 자녀들이 모두 남은 자가 되고 신앙을 이어갈 수 있도록 바른 삶을 살고 있는지 하늘나라에서 지켜보고 계실 것이다.

만수영감 친정 아버지

계순이, 차순이, 순자, 딸 셋을 마루에 가지런히 앉혀 놓고 따뜻한 물로 차례대로 발을 씻겨주시던 아버지.

셋째딸을 임신했을 때 김무균 할아버지께서 이번에도 딸을 낳으면 새 장가를 가라며 아버지께 호통을 치셨다고 한다. 그런데 임신 5개월 무렵에 할아버지께서 돌아가셨다고 들었다. 그 소리를 들었을 때 '다행인가?'하면서도 내 마음이 이상했다. 그러나 아버지는 딸들을 이뻐하시고 사랑해주셨다.

넷째가 바로 아래 남동생인데 육상선수라 경기가 끝나면 학부형의 단장 역할을 하셨다. 학부형들과 의논하여 각자 나누어 음식을 마련해 항남동 복천관 2층을 빌려 선생님들의 위로연을 열어 주셨다. 또 아들이 다른 지역으로 축구 원정을 가면 선수단과 동행 모든 뒷바라지를 스스로 신나게 하셨다. 넉넉치 못한 분이 헌신적으로 협조를 해주시니 그저 감동이었다.

아들·딸 졸업식에는 학부형들의 정성을 모아 담임 선생님께 반드시 새 양복을 입혀드렸다. 김종천 아버지 화이팅!

'만수영감!' 아버지의 별명이다. 김용완 이름은 뒷전이고 가시는 곳마다 풍성한 만수판을 만든다고 하여 붙여진 이름이다. 실제 이름으로 착각하는 분들이 더 많았다.

1년에 몇 차례 제사를 모신 다음날 아침에는 담임 선생님을 모셔와서 대접하는 일은 우리집 전통이었다. 식당이 없던 그 시절에는 최고의 대접이 아니었을까.

큰아들의 담임 현덕권 선생님의 집 마련 이야기. 6.25때 많은 가족과 이북에서 피난오신 담임 선생님이 조그만 셋방에 사는 모습을 우연히 보게 된 아버지께서 담임 선생님 집 마련을 위한 캠페인을 벌이셨다. 선생님과 많은 학부형들이 협조하여 서피랑골목에 작은 집을 마련했다. 아버지는 무슨 일이든지 시작하시면 모두들 호응해주는 그런 분이셨다. 탁주를 드시고 저녁을 늦게 드실 때면 수제비를 먹고 쳐다보고 있는 우리들에게 밥을 남겨 주셨다. 우리는 왜 눈치가 없었을까?

딸 학교 수학여행 뒷바라지

고등학교 졸업으로 바로 교사가 된 딸이 안쓰럽기도 하고 자랑스러워 신나셨던 아버지.

첫 발령지인 화양국민학교에서 여교사 몫으로 6학년과 함께 수학여행을 부산으로 다녀왔는데, 뜻밖에 아버지께서 문화마당에 있던 여객선 터미널에 선생님인 딸 마중을 나오셨다.

갑자기 비바람이 불어 산양면 교통편이 모두 끊어졌고 경비도 모자라 여관으로 갈 수도 없어서 인솔 교사들이 모두 난감해 하고 있었다. 임성관 교장 선생님도 계셨다. 아이들이 추워서 떨기 시작했을 때 아버지가 갑자기 나서셨다.

"모두 우리집으로 가자!"

약 50명을 데려온 후 잠자리에 들기 시작한 어머니에게 저녁밥을 짓도록 하셨다. 방 3개에 마루 3개뿐인데 어떻게 모두 잤을까? 수수께끼 같은 일이었다.

그 일은 산양면 전체에 알려져 아버지는 고마운 분으로 소문이 자자하기도 했다. 그러나 언제나 의논 없이 남의 일에 앞장서시는 아버지의 뒤에는 어머니의 순종이 있었다. 어머니가 불평하는 모습을 한 번도 본 적이 없다. 천생연분인가?

여행반 급장 김정태가 후일 충무우체국장으로 부임했는데, 스승의 날에 꽃바구니를 우리 가게로 보내왔다. 여행간 그때를 기억하고 있었을까? 6학년 회장으로 내 실력 테스트를 하는 데 앞장 섰었다. 후일 무궁화유치원 서정미 원장과 부부가 되었다.

평생 처음인 약 2년 동안의 화양학교 생활은 너무나 많은 것을 가르쳐주었고 경험하게 했으며 평생 잊히지 않는 아름다운 추억이 되었다.

그무렵의 제자들을 서호시장에서 같이 늙어가는 모습으로 만나기도 한다. 제자의 "선생님!" 소리에 놀라 이상하게 쳐다보는 사람들도 있었다.

미국 선생 양 선생

1970년 10월 5일. 아버지의 회갑날 풍경.

집에서 음식을 마련하여 지인들을 초대하던 시절이다. 사위가 근무하는 통여중 선생님들을 초대하였다. 함께 오신 미국 평화봉사단 선생님이 처음 보는 미국인이라 모두 피했다.

그때 아버지께서 "오! 양 선생 반갑습니다."하시고는 두 손을 덥석 잡고 웃음이 가득하셨다.

잔치집은 그 한마디 유머로 기분좋은 웃음바다가 되었고, 그날 이후 학교에서도 미국 선생님은 '양 선생님'이 되어 버렸다.

내 아들은 칠사

막내딸 순금이 시집보내는 날.

통영에서 예식을 끝내고 모두 거제둔덕 새 신랑집으로 향하는 대절 버스 안.

유명기 신랑 아버지는 육사 출신의 아들이 청와대에서 박정희 대통령 경호원으로 근무 중이라고 신나게 자랑을 또 시작하였다. 버스 안에서 그 사실을 모르는 사람은 아무도 없었다.

그때 아버지께서

"우리 아들은 칠사 나왔다."

버스 안은 기분 좋은 웃음판이 되어버렸다. 서먹하던 양가 새 사돈들은 금새 친해져버렸다.

모두를 웃기는 기분좋은 풍부한 유머와 재치는 어디서 왔을까? 아버지는 언제 어디서나 인기맨이었다. 특히 여성들에게.

아! 보고싶은 그리운 아버지!

1977. 5. 8 막내 딸 결혼식 때의 부모님

이신곡 할머니와 유봉래 어머니

"준아 준아 천하이불한테 가자."(지훈아, 햇볕 쬐러 가자)

할머니는 혼자 있는 지훈이를 내내 돌봐주셨다.

친정집 옆에 살았던 우리 첫째아이를 업어주시던 이신곡 할머니. 유봉래 어머니와는 평생 짝꿍이셨다.

언니와 내가 결혼할 때 할머니는 손수 조각천으로 만든 끈 달린 작은 보자기에 각종 자투리 천과 여러 가지 색상의 실타래를 넣어주셔서 지금까지도 긴요하게 쓴다.

어머니가 혼수로 가져오신 이부자리를 바느질이 거칠다고 손수 뜯어 한 달 동안 새 이불로 만드셨는데, 손바느질이 미싱과 비슷했다고 한다.

어머니와 할머니는 서로 조금이라도 큰 소리 하는 걸 보지 못했다. 공부방도 없이 할머니 방에서 함께하다 친정을 떠났다. 80 평생 병원 한 번 가지 않았고 아침식사 후 낮잠 주무시 듯 조용히 떠나신 할머니의 건강관리는 할머니의 식습관도 중요했지만 아마 어머니의 공도 컸을 것이다.

아버지께서는 약주를 드신 날이면 "약 한 첩 못드린 불효자."라고 하시며 우셨다.

어려웠던 시절이라 저녁식사 때 밥을 먹어본 기억이 없다. 남자와 할머니에게는 밥을 드렸고, 우리는 수제비, 시락국(시래기국), 고구마, 빼떼기죽, 누룽지를 먹었는데, 지나고 보니 건강식이기도 했다.

어머니는 글을 모르셨다. 받침없는 글자와 숫자로 지혜롭게 장사를 하셨는데, 퇴근 때 들려서 외상장부를 기록해드렸다.

서울로 살러 가실 때 아이디어를 내어 만들어드린 것이 그림 전화부였다. 언니 집은 아이 다섯 그림 밑에 전화번호, 우리 집은 피아노 밑에 전화번호. 이런 식으로 만들어 드리면서 거는 연습도 시켜드렸더니 매일같이 전화를 하셨다. 같이 있는 손자 대현이가 어느 날 할머니 전화번호부 수첩을 숨겨버렸다고 한다. 며느리 흥보는 할머니에 반발하여 어머니 편이 되었다. 전화번호부를 잃어버리고 상심하는 어머니께 현상금을 걸어보라고 시켰더니 금세 내놓았다는 에피소드도 있다.

통영집과 재산을 모두 정리하고 서울 아들집으로 가시게 되었을 때 내게 저질러 놓은 빚에는 함구하셨고, 큰아들에게 모든 재산을 넘겼다. 빌려드린 돈도 유산도 한푼 받지 않아서 평생 떳떳하다. 그런데도 뒷바라지는 항상 내 몫이었다. 철따라 마련하는 새옷, 새신, 용돈, 두 차례의 틀니, 양로원 부담금은 우리 자녀들까지도 협조했다. 사돈 할머니는 올케에게 너도 시누이처럼 모든 것을 책임지라는 농담까지 하셨다고 들었다.

동생 부부와 36년을 함께하였고, 그 중 약 8년은 요양원에서 보내시다가 2013년 10월 12일 99세로 떠나셨다. 삼성 서울병원 장례식장에서 수원 화장장을 거쳐 용인 공원묘원 아버지 곁에 31년 6개월 만에 함께 안장했다가 통영 선산으로 모셨다.

2023년 3월 28일 윤달에 동생 부부가 선산 납골당 옆 수목장에 손수 부모님 비석을 세우고 동백을 심고 단장을 마쳤다.

아버지! 어머니! 소중한 두 분을 좀 더 잘 섬기지 못해 죄송합니다. 장남 부부가 수고 많았습니다. 이제 편안히 쉬십시오.

고모집 둘째 박창현

아버지는 여동생인 김평수 고모님과 두 오누이뿐이었다. 할머니는 고모인 딸에 대한 염려가 최우선이었다. 박봉오 고모부님은 3남 2녀를 두셨다.

막내딸 복님이는 서울에 살면서 53세에 고등학교에 진학하여 평생에 소원하던 꿈을 이루었다. 아들을 군대에 보낸 후 남편 뒷바라지를 하면서 3년간 개근한 그 노력이 눈물겹다.

둘째 창현이는 형인 덕현이가 일찍 세상을 떠나는 바람에 모든 조카들을 보살피고 장남을 대신하여 모든 일을 떠 맡았다. 나전칠기와 목수기술을 바탕으로 기업에 기술직으로 근무했고, 다리가 불편한 아내를 평생 헌신적으로 사랑한 순애

보 남자다. 교회에서도 성실했지만 평생 직분을 사양했고, 아내가 권사 직분을 다할 수 있도록 배려했다.

그러나 부산에서 딸 공희를 장로님 댁에 시집보낼 때 교회 결혼식장에서 "누님 사돈에게 좀 미안하다."며 내게 속마음을 털어놓았다. 열심히 모아 내게 보낸 돈을 빈틈없이 잘 불려서 필요할 때 보내준 것을 항상 고마워했다.

2006년 3월 1일 서울교대를 졸업한 아들 수영의 결혼식에 참석했을 때 부부교사로 맺어진 신혼부부의 행복한 모습을 보면서 공부가 소원이던 아빠의 꿈을 이루어 드렸구나! 감동적이고 흐뭇했다.

창현 부부의 행복한 아름다운 미소가 돌아오는 내내 향기가 되었다. 무거운 짐을 혼자 지고도 감사해 하던 그 수고에 대한 하나님의 보답이 아니었을까?

고향에 올 때마다, 언제나 들러주고 명절이나 행사일에는 메세지를 보내주고 가문의 행사에 잊지않고 참석해 주는 그 마음이 늘 고맙다.

복잡하고 어려운 시국 문제로 간혹 나와 토론하지만, 나라를 아끼고 사랑하는 참된 크리스천이다.

중국서 아들만 안고 오신
임성진 외숙모님

유주승 외할아버지는 유남온 외삼촌, 유선악 이모, 유봉래 어머니 세 자녀를 두셨다. 정소선 외할머니는 새벽 서호시장에 오셔서 고구마·채소를 내다 파셨고, 우리 집에도 삶은 고구마를 주셨다. 그 시간에 외할아버지는 화장실에서 인분⁽똥⁾을 똥장군에게 담아 지게에 실어놓고 아버지와 함께 탁주를 드셨다. 왜 똥을 가져가실까? 썩혀서 거름으로 사용하기 위해서였다. 그래서 기생충이 많았다는 것은 훨씬 커서야 알게 된 사실이다.

외할머니는 뽕나무잎으로 누에고치를 기르셨고, 고치에서 명주실을 뽑아 베틀에서 명주 비단을 짜셨다. 만주에서 오지 않는 아들에 대한 기다림 때문에 맺힌 한이 열이 되어 항상 저고리 고름을 풀고 계신다며 어머니가 안타까워 하셨다.

남편 없이 먼 만주에서 손자를 안고 온 며느리 사연도 있다. 유남온 외삼촌은 같은 마을인 인평동에 사는 마을 처녀와 결혼했다. 어느 친구의 고자질로 아내의 결혼 전 부정을 알게 되어 혼자 일본으로 건너가 공부를 마치고 만주에서 일본군 통역관으로 서주에 정착했다.

신의주 옆 용암포가 고향인 임성진 외숙모님은 19살에 결혼하여 낳은 첫아들이 세 살 때 급성폐렴으로 사망하고 이어서 남편도 돌아가셨다.

"신랑 잡아먹고 우는 꼴 보기싫다."는 부모님 성화에 닷돈 중 금반지를 팔아 신의주에서 기차로 압록강 다리를 건너 서주로 갔는데, 거기서 외삼촌을 만났다. 추운 겨울 화장실에서 담요로 등을 감싸주시던 그 자상함이 여성의 행복을 되찾아 주었다고 하셨다.

일제가 패망한 1945년 8월 15일 해방을 맞아 귀국을 서두르던 외삼촌은 외숙모님에게 아들과 함께 먼저 귀국하도록 했다. 서주에서 상해, 부산을 거쳐 통영까지 오셨다.

며칠 내로 뒤따라 오겠다던 외삼촌은 영영 오지 않으셨고 통역관들은 처형당했다는 흉흉한 소문만 끊임없이 들려왔다.

모두가 고향으로 가실 줄 알았던 외숙모님은 예상을 깨고 농사일, 누에치기, 삯바느질, 심지어 거제 포로수용소 군인을 상대하는 아가씨들에게 보따리장사를 하면서 외아들 교육과 시부모님 공경으로 이북 여인다운 강인함을 보여주셨다. 가문에서 큰 상을 내려야 했는데…. 처녀로 시집 오지 않아서였을까. 그렇게 생각할 수도 있겠구나! 나 역시 궁금하다.

어머니는 혼자 사시는 올케를 이모와는 달리 살뜰히 보살펴 두 자매의 또다른 면을 보여주셨다. 아들 부부가 한때 어려워 내가 해드린 틀니를 평생 소중히 쓰셨다.

직장생활로 바쁜 내게 오셔서 손길이 닿지 않는 곳을 보살펴 주셨다. 북한에서 다녔던 교회를 그리워하면서도 시부모의 고집으로 교회는 생각조차 할 수 없다며 교회에 나가는 우리 부부를 부러워하셨다.

외아들 유일항은 선비 가문의 오숙자와 결혼하여 유영민, 유성일, 유영희의 2남 1녀를 두어 가문을 이어가게 되었다.

언젠가는 중국으로 건너가 남편의 뼈라도 꼭 찾아오겠다고 다짐하시던 외숙모님은 모든 걸 버리고 하늘나라로 떠나셨다. 그곳에서 사랑하는 남편 유남온을 만나서 행복했으면….

유호헌 경찰서장님의 양자 역할

만주에서 돌아오지 않는 아들을 기다리는 외할아버지댁에 양자 역할을 하신 분이 큰집 조카이신 유호헌 외삼촌이셨다.

외삼촌은 부산대학교 법과대학을 졸업하시고, 1961년 경찰에 투신하여 통영경찰서 서장 시절 신축 청사로 이전할 때 공원 조성을 강조하여 월계수 나무 2그루를 손수 심으셨고, 치안본부로 전근할 때는 관례인 전별금 사양으로 청빈함에 칭송이 자자했으며 근정포장을 받으셨다.

서울시 강동경찰서 서장 재임 시에는 아시안게임 5개 경기장 경비를 진두 지휘하셨고, '88올림픽 때에도 완벽하게 대비를 하시어 조직위원장인 김용식 전 외무부장관의 인정을 받으셨고 녹조근정훈장을 받으셨다.

경찰의 날 수상소감 인터뷰 때 "버드나무는 부러지지 않아"라는 유명한 말씀을 남기셨다. 가락시장 농성, 교통회관 운전기사 농성현장에서 대화로 농성주민들을 설득하여 해산시키는 능력에 주민들이 "만세!" 함성이 터져나와 농성현장의 유일한 성공사례로 오랫동안 기억되고 있다.

진주사범학교을 수석으로 졸업하여 그림, 서예, 글짓기 등 다재다능했던 만능의 설업자 선생님과 결혼하여, 나와는 통

이번 경찰의 날에 녹조근정훈장을 받은 柳浩憲 江東署長을 만나기 위해 서장실의 문을 두드렸다. 방 안에 별이 부임했다. 가임 후 가락시장 주민 농성·교통회관 운전기사 농성 현장에 나가 격의없는 대화로써 농성 주민들을 "만세!"라는 함성이 터져나온 일화는 강동서 직원이면 누구나 알고 있는 유명한 이야기.

버드나무는 부러지지 않아

잘 들어서인지 참모회의를 막 끝내고 환히 웃으면서 기자일행을 반갑게 맞아주는 柳서장의 얼굴이 더욱 온화하게 느껴진다.

— 축하드립니다. 먼저 소감부터 한 말씀……

— 고생은 서울경찰가족 모두가 했는데 혼자서만 훈장을 받아 미안합니다. 우리 경찰서 전 직원이 열심히 일한 덕분이라 생각합니다. 모든 영광을 직원들에게 돌립니다.

부산대 정치학과를 졸업하고 61년 경찰에 투신, 경위로 출발하여 80년 총경으로 승진, 지난 해 11월 강동서장으로.

柳 浩 憲
江東署長

설득, 해산시키는 능력을 과시하기도 했는데, 해산하는 주민들 사이에서 "강동서장

부하 직원들 사이에서는 '시간 약속 철저히 지키는 서장'으로 소문나 있다.

지난 아시안게임 기간 중에는 올림픽공원경찰서장을 겸임하면서 올림픽공원내 5개 경기장 경비를 진두지휘했는데, 이번에 훈장을 받게 된 것도 이처럼 대화를 통해 문제를 해결할 줄 아는 능력과 온화한 인품, 그리고 성실성이 높이 평가받았기 때문이 아닌가 생각된다.

— 버드나무는 바람에 휘어질지언정 부러지지 않습니다. 모든 문제를 대화로써 해결해나가면서, 작은 일 하나하나에 최선을 다하겠습니다. 그게 바로 애국이 아니겠습니까?

서장실을 나서는 기자에게 들려주는 柳서장의 소박한 생활철학이다.

수상자인터뷰

여중 동기동창 사이가 외숙모와 조카 사이가 되었다. 삼촌 부부는 사회적으로도 존경받았지만 선망의 대상이 되었던 것은 자녀교육 때문이었다. 청빈한 공무원 생활을 본받아 세 아이들이 스스로 앞길을 개척한 모범사례는 모든 이로부터 칭송은 물론 부러움의 대상이었다.

아들 유성원은 평소 독서를 좋아했는데, 연세대학교 전자공학과를 졸업한 후 박사학위를 취득하여 대전연구단지 한국전자통신 연구원으로 일하고 있다.

큰딸 유정희는 초등학교 3학년 때 그만둔 피아노를 중3 때부터 다시 시작해서 서울예고를 목표로 동네 학원에서 겨우 레슨을 받았는데, 서울예고를 거쳐 서울대학교 피아노과에 합격하여 모두를 놀라게 하였고, 아르바이트를 하며 수석으로 졸업하였다. 미국 유학을 반대하자 1년간 아르바이트를 하여 비행기표를 구입 미국 맨하탄음대 대학원에 입학하여 석사와 박사학위를 취득한 후 현재 미국인 교회 음악 책임자가 되었고, 모차르트 탄생 250주년 기념 연주회의 일원으로 뽑혀 활약 중이다.

학생의 재능을 중시한 서울음대의 입시요강 덕분에 고급 레슨 없이 자력으로 합격 인생을 개척한 좋은 성공하례이다.

둘째딸 유민희는 명지여고를 3년간 수석으로 다녔고, 서울대학교 사범대학 역사교육과를 4년간 성적우수 장학생으로 졸업한 후 행정고시에 합격하여 서울시교육청 근무중 국비유학으로 하버드대학교 교육행정학 석사학위를 취득하였으며, 하버드대학교 교수로 부임하게 된 남편과 아이들을 위해 한국학교에서 국어와 역사 교사로 재직 봉사하고 있다.

두분은 노년을 아름답게 보내며 통영수대 모교와 동창회에 기여하셨고, 인평초등학교에 피아노와 유명한 그림 작품을 기증하셨다. 가을 시사 때면 우리 부부와 만난다. 훌륭한 조카분이 외할아버지를 보살펴주셔서 손자의 성장으로 대를 잇게 되었다.

2023년 3월 13일 두분이 그동안 은혜받은 분들을 만나서 대접하시겠다고 통영을 2일 동안 방문하여 좋은 분들을 만나셨고, 둘째 날 아침 한산섬 식당에서 봄도다리쑥국을 함께하며 우리 네 사람이 즐거운 시간을 가졌다.

통영 옻칠미술관을 탄생시킨 김성수 관장님

김성수 관장님은 통영 나전칠기연구소 시절, 이모집 셋째 딸 김효순 언니와 결혼했다. 원대한 꿈을 품고 상경하여 홍익대 교수, 숙명여대 학장, 튀니지 대학·중국 대학의 교환교수 등을 거쳐 정년퇴직 후 딸 둘이 살고 있는 미국으로 건너가 자리를 잡고 작품 활동을 하셨는데, 돌연 귀국하여 공항에서 마음이 변할 수 없도록 영주권을 찢었다. 대한민국의 큰 보물이 고향 통영의 품으로 돌아오는 순간이었다. 그의 삶은 교육, 옻칠을 향한 헌신과 사랑이었다.

모든 것을 바쳐야만 이룰 수 있는 형부의 제안에 팔 남매 맞이 키를 잡은 사촌언니는 승낙하지 않으면 죽을 것 같은 남편에게 허락한 순간 미늘언덕에 옻칠드라마가 펼쳐졌다.

2006년 6월 15일 용남면에 통영 옻칠미술관이 개관되었다. 그 후 해마다 연구 교육을 실시하였고 옻칠의 날 선포식, 한국 옻칠특별전, 칠예의 문 제막식, 김성수 옻칠세계 60년기념 교육관 개관, 베트남 한국 옻칠회화전, 기업과 예술의 만남, 뉴질랜드 오클랜드 대학 전시회, 인재양성 아카데미, 제19회 그룹 '옻'전시회 등을 개최하였다.

2015년 4월 24일 바다의 섬 장사도 해양공원에 국내 최초로 미술전시관을 개관하였고, 2017년 6월 국립현대미술관 미술은행 소장품으로 〈풍경을 빌려오다〉 기획전으로 21세기 남해안 예술세계의 새 시대를 열었다.

더 상세한 내용은 옻칠미술관에서 확인할 수가 있다. 2018년 12월 통영 곳곳에 자랑스런 한국인 상 김성수 라는 플래카드가 나붙었다.

무형문화재로 선정되는 것을 포기하고 대학교수의 길을 선택하셨다.

경상남도에서 미술관 개관 후 기술인의 운영 첫 사례로 기록, 석박사 과정의 실기교육장으로 이제 400년 역사의 통영

옻칠의 현대화로 천년을 간다는 옻칠 작품을 탄생시키는 통영 옻칠미술관이다.

2020년 7월 17일 열리는 〈특별전〉을 거제 동생 부부와 함께 관람한 후 아름다운 바다가 보이는 미늘언덕에서 세계로 뻗어가며 발전하기를 기원했다.

2021년 12월 10일, KBS1 TV 오후 6시 창원방송국에서 〈옻칠미술관〉의 모든 것과 김성수 관장님의 작품 제작과정이 상세히 소개되었다.

평생의 원대한 꿈을 고향 미늘언덕에 이루시고 90이 가까워오는 연세에도 건강하셔서 미술관을 운영하시고, 직접 작품도 제작하시는 것이 놀랍다. 막내딸 미영이가 아버지 미술관을 돕게 된 것 또한 다행스럽고 믿음직스럽다.

그동안 열심히 미술관에 출근하던 언니는 미영이가 온 후로는 아파트에서 편안히 지내신다. 간혹 롯데마트에서 만날 때가 있었고, 사촌들이 자주 함께했는데 코로나 19로 모든 것이 멈추어버렸다.

하루 빨리 코로나 19가 물러가고 관광객의 미술관 방문도 살아나고 학생들의 교육도 활발하게 이루어지고 관람도 활성화되기를 기대한다.

곱슬머리 금자는 미국으로

큼직한 꽃사탕 목걸이를 우리에게 차례로 걸어주시던 분홍색 원피스의 사돈 할머니. 이모님의 시누이가 35년 만에 하와이에서 고국에 오신 첫날 인평동 이모집 마당 풍경이다.

하와이 사탕수수농장 이민 1세와 결혼하여 남매를 두었는데, 아들은 한국 여자와 결혼했다. 딸 희연 씨는 콜롬비아 대학을 나온 재원으로 한국 유학생도 없엇고 국제결혼을 엄두도 못내던 시절 혼자 살았다.

한실이모님댁 마루 위에 걸린 박사모를 쓴 희연 씨와 사진으로 친근해졌고, 이모님은 조카 자랑에 신이 나셨다. 사탕수수농장의 계약이 끝나 세탁소를 차렸는데, 세탁비보다 호주머니에서 나온 달러가 더 많았다고 한다.

성공 후 호놀룰루에서 호텔을 경영했다. 숙박하던 한국 해
군 편으로 옷감, 일용품, 달러까지 보내 주시면 이모님이 진해
로 가서 찾아오셨다. 달러는 부산국제시장 암달러상에서 우
리 돈으로 바꾸어 오신다. 평생 시누이의 큰 도움을 받았다.

사돈은 연세가 드시자 고국에서 조카를 데려가기로 결정
하였다. 이모집 넷째딸 통여고 1학년 재학 중인 '흑인 곱슬머
리 금자'를 선택했다. 유학 수속 중 성적이 미달되었는데, 유
시열 담임 선생님이 내 성적으로 바꾸어 갈 수 있게 해주셨다.

등·하교 시마다 반대방향에서 마주치는 수고 학생들의
'꼬시래기' 놀림에 머리를 푸는 게 소원이던 금자는 그게 가능

이종사촌 금자, 필자, 차순 언니

한 미국으로 신나게
떠나갔다. 금자는 고
모님이 약속과 달리
돌봄이 취급에 불만
을 느끼고 LA로 건너
가 디자이너로 성공
한 후 러시아계 이란

왕실 유학생 부호와 결혼하여 상류사회에 진입했다.

어느 날 여고 때 노신정 선생님이 구직차 LA에 있는 금자의 회사에 나타났는데, 특이한 머리 스타일 때문에 단번에 알아보았다. 식사 대접까지 했으나 선생님은 끝내 나타나지 않으셨다. 2012년 7월 1일 KBS1 TV 〈TV 자서전〉에 출연하신 노신영 총리님이 미국 대사 시절 누님과 조카를 초청한 사실로 수수께끼가 풀렸다. 우리들에게 들려준 아들 훈이의 뒷소식이 궁금했다.

약 20년 전 우리 딸 부부가 세 살된 예서를 데리고 LA 여행을 갔다가 사촌이모를 만났는데, 호텔예약을 취소시키고 집으로 데려갔다. 여태껏 찾아온 친척 중 호텔에 묵으려는 사람은 처음이었다고 한다. 부촌의 큰 저택에서 잘 지내다 오게 해 준 것에 감사한다. 세 살이던 예서가 이제 대학생이 되었다.

골프와 봉사활동으로 여생을 즐기고 있다는 소식을 듣고, 그 많은 재산을 조국과 고향을 위해 쓸 수 있다면 좋겠다는 생각이 든다. 언젠가는 그 이야기를 꼭 하고 싶다.

"보고싶은 금자에게"

금자야! 세월이 흘러 벌써 우리들이 할머니 세대가 되었네.

둘이서 뜨개질하던 분홍 레이스 커튼을 씻어 거실에 달았다. 흰 광목천에 초록색 큰 나뭇잎 무늬를 난수와 그물수로 수 놓은 큰 테이블보가 약 60년 세월을 넘어 새 식탁보가 되어 빛을 보게 되었다

인평동 새마을운동 전시회에서 대상을 수상한 것 기억나니?

그때 너는 발랄하고 모든 것에 의욕이 넘친 모습이었다.

네가 떠날 때는 도움받던 우리나라가 이제는 먼 아프리카에까지 도움주는 선진국으로 변했단다. 코로나19가 2021년을 힘들게 하지만 K방역으로 잘 대처하고 있단다. 더 늦기 전에 한번 다녀가렴. 발전된 대한민국 모습을 보여주고 싶다.

2021년 9월 이종사촌 친구 순자가

유봉래 어머니, 임성진 외숙모님, 유선악 이모님, 사촌 금자

이모집 효자 김종만 박사

김종만 박사는 일본 동경대를 졸업하고 KBS 1 TV 〈퀴즈탐험〉 프로에 장기간 출연한 해양학 박사 5호이다. 유선악 이모님이 딸 일곱을 낳은 후 얻은 막내외아들로, 통영 해저터널이 무너질까봐 가까운 통영중학교를 두고 먼 동중학교에 진학했는데, 해저터널은 지금도 그대로 서 있다.

부산 수산대학 재학 시 주말마다 와서 리어카에 음식 쓰레기를 수거해 일주일분 돼지먹이를 어머니에게 준비해드리고 가는 걸 보면서 참으로 된 청년이라 생각하며 성공을 확신했다. 대학교수와 해양연구소에서 정년퇴직 후 기술분야라 모셔 가는 분이 되었다. 갑부 누나가 사는 미국 대신 일본에 유학한 것을 높게 평가한다.

여름이면 시내에 다녀와서 옷을 입은 채로 수항에 들어가서 목욕하시던 이모님. 설탕물에 밥을 말아드셨다. 부산 막내딸 집에서 동정이 마르지 않았다고 어머니를 붙잡자 시장에 간 사이 스카프를 두르고 와버렸다. 20분 후에 출발하는 시내버스를 못 기다려 걸어서 수대 앞에 함께 도착했다. 20년이나 그리던 미국 딸에게 다녀오신 후로는 입을 다무셨다.

생활습관 특히 식사예절 때문에 상류층과 함께하는 고통이 컸다고 하셨다. LA에서 통영까지 논스톱으로 달려와 보잉 707이라는 별명이 추가되었다. 수고 자치생들에게 찾아오는 여학생들을 험한 욕설로 내쫓아 호랑이 할머니가 되었는데, 모범생들은 고마워했고 불만인 학생은 집을 옮겼다.

아들따라 서울로 이사가셨는데, 치매로 어느날 대전까지 걸어가셨단다. 순간 정신이 들자 파출소로 들어가셔서 '김종만'하고 아들 이름을 말했더니 컴퓨터에 수십 명이 나왔다. "박사다!"하고 소리지르자 쉽게 찾았단다.

이모부님은 생전에 우리들에게 어머니나 이모 중 누가 먼저 돌아가시면 두 집 아이들은 한집으로 모여 살아야 한다고 언제나 강조하셨다. 그 따뜻한 이모부님의 배려가 이종사촌을 각별한 형제 사이로 묶었다.

그런 이모님을 아내 전영미와 함께 잘 모신 박사님 효자가 김종만이다. 아내 전영미는 신혼 때에 시댁에 잠깐 머무를 때, 인평국민학교에 근무하던 내가 심한 독감을 앓았는데, 이때 나를 대신해 우리 반 아이들을 며칠 돌보아준 고마움을 기억하고 있다. 이모님은 딸보다 며느리를 우선하여 우리 모두를 놀라게 하였다.

김종만 박사는 통영수대 서울지구 동창회장을 맡아 최선을 다하여 활동함으로써 역대 최고의 재경동창회장으로 환영받고 있다.

6.25 피난 때 이모님집에서는 앞산이었고, 수대의 옆산에서 밤이면 여우 울음소리가 들려 왔다. 낮에 간혹 여우를 본 사람도 있었다. 짓궂은 1번 큰언니가 비오는 어느날 2번 언니에게 발가벗고 빗속으로 달려가 건너편 집 무화과를 따오라고 내보냈다. 빗속에 발가벗어 흔적이 없었다. 엄격한 부모때문이었던지 딸 일곱이었지만 그많은 하숙생이 스쳐갔지만 로맨스는없었다. 지나고 보니 명답은 아닌 것 같다.

70년이 지난 지금 경상대 해양캠퍼스가 들어섰고 자동차 소리가 요란하다. 이모님 집은 도천동사무소로 편입되었다.

아버지 사랑 막내사위 유승화

유승화는 육군사관학교를 29기로 졸업하여 소위로 임관된 후 공수부대 창설요원으로 차출되었고, 중대장을 거쳐 66 특전단에 파견되어 박정희 대통령의 경호실에 근무하였다. 이때 동생의 소개로 막내 여동생과 통영관광호텔에서 맞선을 보았다. 나이 많은 부모대신 보호자였던 내가 본 정복차림 청년과 26세의 청순한 여교사는 환상의 커플이었다.

내 아들은 칠사, 사위는 육사. 그렇게 막내사위를 좋아하셨던 아버지. 1979년 사무관으로 임용되어 건설부 공무원으로 88 올림픽고속도로 건설 시 감독관을 하였다. 그 임무를 마친 후 국가장학금 시험에 합격하여 1986년 7월 미국 웨인주립대학교 대학원 토목공학 석사과정에 입학하기 위해 미국 공항에 도착했는데, 마중 나오신 목사님이 집사로 불러 그때부터 공항 집사가 되어버린 에피소드도 있다.

미국 교회에서 임직을 받은 셈이다. 강인함과 정직함으로 한인교회 회계집사로 임명되어 봉사와 신앙의 참된 길로 믿음이 더욱 돈독해졌다. 귀국 후 두 부부는 경기도 과천교회에서 안수집사와 권사직분을 받았다.

유학의 첫 목표는 세계적 신기술의 습득, 둘째는 영어 정복.

귀국 후 익산·부산국토관리청장, 도로국장 등 여러 요직을 거쳐 행정중심 복합도시 차장을 끝으로 2007년 6월 명예퇴직하였다. 홍조근정훈장, 장관표창, 근정포장 등을 수훈하였다.

향토문화서적《거제를 빛낸 인물 열전 ④ - 거제 30인 탐방》에 화합과 뚝심의 건설일꾼으로 선정되어 소개되고 있다.

퇴직 후 마지막 봉사할 곳은 "크게 도우라"는 고향 거제의 뜻을 이루기 위하여 2010년 6월 2일 민선 거제시장에 도전했으나 아깝게 2위였다. 거제 시민들은 두고두고 후회하였다.

통영시 원문고개에서 거제시 고현까지 고속도로처럼 사용할 수 있는 것은 모든 건널목을 토끼굴로 만든 유승화 씨 작품이다.

장인어른이 돌아가시기 전 아들과 함께 있는 용인 자연농원 사택에 들렀을 때 혼자 누워계시는 것을 안타까이 여겨 초인종을 사서 설치해주어 사람들을 편하고 쉽게 부르도록 해주셨다고 어머니가 그 따스함과 세밀함에 내내 고마워했다.

그러나 행복은 다른 곳에 있었다. 산방산 아래 옛 좌수영 터에 새로 지은 아담한 2층집, 100년 넘은 향나무, 목련꽃 피는 정자는 고양이들 천국이다. 가장 소중한 것은 결혼 후 미국에서 살고 있는 큰딸 유주현과 둘째딸 유숙현이다. 그림을 그리는 아내 김순금 여사와 함께해서 행복한 동생 남편이다.

2022년 초 추가 공사가 진행 중이다. 낡은 정자를 치우고 새 정자와 주차장도 짓고, 집 뒷산에 있는 부모님 산소도 새 단장하여 앞날을 준비하는 게 참으로 현명하다.

딸의 숙명여대 졸업식 때 어머니, 여동생, 조카
주현, 숙현과 함께

장남 김종천은 영원한 삼성맨

딸 셋을 낳은 후 얻은 아들 김종천.

충렬국민학교 6학년 때 아들 급장의 구령소리가 듣고 싶어 학교에 오신 아버지를 피해 책상 밑에 숨어버렸던 아들이었지만, 달리기 선수와 축구선수로 아버지를 만수영감으로 만드는 데 큰 역할을 하였다. 겨울 연날리기의 연줄에 백사가루 먹이기 작업에는 언니와 내가 해마다 동원되었다.

통영중학교와 고등학교 6년을 해저터널을 걸어 통학하면서 개근했고 성적도 우수했다.

결혼한 누나가 대학 교육비를 책임진다는 것을 어떻게 알았을까? 부모형제도 모르게 월남전에 자원하였고, 또 1년을

연장하여 2년 동안 남은 2년간의 대학학비를 마련하여 경희
대를 졸업했다. 대학 때 동대문 근처에 충청도에서 오신 독립
유공자 따님이신 박금옥 여사와 전석춘 씨 부부의 하숙집에
서는 일찌감치 경상도 총각을 사위로 점 찍어두셨는데, 삼성
그룹 공채에 합격하여 입사 후 그 집의 사위가 되어버렸다.

평생을 삼성 한 곳에서 헌신적으로 근무했고 정년퇴직 후
에도 한결같은 삼성맨이다. 가장 아쉬웠던 것은 새벽 출근, 밤
퇴근으로 자녀들을 보살필 시간 부족으로 아버지 역할이 부
족한 것이 일류기업 삼성을 다닌 동생의 아이들을 생각하는
고모인 나의 안타까움이었다.

딸 명진이는 일본에서 대학을 졸업한 후 캐나다에 살고 있
으며, 아들 대현이는 미국에서 대학을 졸업하고 결혼해서 미

여동생, 남동생, 올케, 제부(두 부부)

옻칠미술관 김효순 언니, 어머니, 사돈 박금옥 여사

국에 살고 있다. 코로나 19가 빨리 끝나고 서로 오갈 수 있기를 기대한다.

부모님을 끝까지 모셨고 통영 선산에까지 모시고 온 것은 올케 전선희 여사의 아름다운 마음씨 때문이다. 언제나 잊지 않을 것이다.

이제 동생은 약 50년 전 삼성입사 동기생 20명과 '마수회 산행모임'을 시작하였고, 특히 김영은, 조용상, 백형기, 최종구 대장과 함께하는 5인방의 주말 산행은 〈삼성성우회〉에 모범사례로 자주 소개되기도 한다.

2021년 말 서울 생활을 정리하고 강원도 횡성에 마련해 두었던 터에 아담한 주택을 짓고 전원 생활을 시작했다.

사촌 이모님들 이야기

막내인 외할아버지는 형제가 모두 네 분인데, 결혼 후 인평동에서 모두 이웃하여 작은 마을을 이루고 사셨다. 그래서 어머니는 사촌 여자형제들이 많았고 친근해서 우리까지도 사랑을 받았다.

셋째할아버지 큰사위인 김정수 이모부는 일본에서 결혼, 자녀가 없어 모든 재산을 일본 부인에게 주고 귀국한 후 서호시장에서 활동하던 중 딸과 둘이 살던 유남필 이모님과 재혼하여 객주로 크게 성공하였다.

해방다리 뒷편에 있는 〈돌샘〉은 전기시설 미비로 어둡고 불편했는데, 여기에 전기시설을 하여 시민들에게 빛을 선물하여 동네에 칭송이 자자했다. 또 많은 축복을 받아 3남 3녀의 부모님이 되셨고, 특히 큰딸 경자언니에게 베풀어 준 사랑을 우리 모두 부러워했다. 아버지 후원 덕에 좋은 환경의 친구들과 한 그룹이 되었고, 후일 대영통신의 안주인이 되어 친정의 기둥 역할을 하면서 좋은 딸, 좋은 누나, 좋은 언니로 부러움을 샀고 은혜를 갚았다.

둘째사위 김원실 이모부님과 필엽 이모님은 해방다리 근처에 우리와 함께 살아서 내가 둘째를 해산할 때 보호자로 분만실에 들어오셔서 태반으로 마사지를 시켜주라며 의사선생님을 가르쳐 분만실에 웃음꽃이 피었다. 6.25 유공자인 이모부님은 간혹《한산신문》에 실린 내 글을 칭찬하시며 좋아하셨다.

딸이 손녀 예서를 간혹 맡길 때가 있었는데, 노할아버지 노 할머니와 너무 짝꿍이 잘맞아 자주 오라며 기다리셨다.

셋째할아버지에게는 아들이 없어서 생긴 구 시대의 DNA 사건이 있다. 할아버지가 바람을 피워 생긴 아들 쟁탈전이 벌어졌는데, 과연 누구의 아들일까? 희한한 사건이었고, 여자의 품행이 의심스러웠다. 어쨌든 이모님과 어머님이 아들 찾기 작전을 성공시켜 대를 이어가게 되었다. DNA 검사가 없던 시절이라 다행이었을까. 친척들은 그렇게 생각하며 안도했다.

부모님이 서울로 가시게 되어 친정집을 팔 때, 유남필 이모님과 좋은 조건으로 계약해 드렸으나 계약을 지키지 못하게 되어 서로 난처하고 곤란하게 된 적이 있었다. 아버지에게 잔금을 나누어 연장해 주시도록 설득한 결과 이모님은 남자보다 네가 낫다며 고마워하셨다. 사촌 간에 쌓은 정을 살렸다고 칭찬하던 두 분은 떠나버렸다.

제일 큰집 정엽 이모님은 그 시대에 아들이 있는데도 용감하게 이혼을 하셨다. 그리고 부산으로 가셔서 새 인생을 개척 의사와 재혼하여 둘째아들을 두었다. 미인인데다 큰 키와 날씬한 몸매로 뒷모습만 본 총각들이 따라온다는 에피소드는 유명했다. 곱게 늙어가는 모습에 나이 든 여성의 성숙한 아름다움을 본다. 이모님을 볼 때마다 생각한다.

그 당시 어머니와 이모님들 시대에는 통영시내 통영국민학교에 모두 다닐때였다. 인평동 어느 집 딸이 시내에서 학교 다니면서 연애소동을 일으켰다. 완고하셨던 할아버지 네 분은 딸들에게 "학교에 보내면 안 된다"고 합동으로 명령을 내리셨다. 후일 네 분 이모님, 어머님을 보면서 문맹으로 답답하게 사시는 것이 너무 안타까웠다.

세 조카의 아름다운 모임

박정우 장로와 김판선 권사.

장동식 장로와 구순애 권사.

김신도 장로와 방춘녀 권사.

이들 세 부부는 남편의 큰누님, 형님, 작은누님의 아들 부부들이다.

약 20년 전부터 계모임으로 혼자되신 어머님 권사들을 모시고 1박 2일 여행으로 형제들이 즐겁게 지낼 수 있도록 배려해 왔고, 모두 함께 행복하게 맛집 기행도 하였다.

한 분이 돌아가시고, 두 분도 90세가 넘어 거동이 불편.

2021년 5월 11일. 세 어머니 대신 우리 부부와 막내 시누이를 초대했다.

새로 지은 김신도 장로의 LTQ 건물에서 이탈리아에 가서 성악을 공부한 아들 영광 군의 독창도 감상했고, 3층 규모의 내부도 구경하였다. 젊은이들이 선호하는 특이한 공간과 백색의 그랜드피아노가 잘 어울렸다.

한산도식당에서 9명이 저녁식사를 하고, 던킨에서 고급차도 마시면서, 큰집 손자 은택이 결혼식이 2021년 6월 19일로 정해졌다고 모두에게 알려주었다.

케익과 양상추 선물은 고마웠고 가슴 따뜻하고 흐뭇했다.

박정우 장로는 옛묘지에 산불이 난 후 오랜 노력으로 새 단장 가족묘지를 아름답게 조성하였다. 바다가 보이고 고향이 바로 옆인 적덕마을 산 언덕에…. 영원히 잠들 곳을 정하지 못해서 여러 가지 생각도 많고 숙제였는데, 외삼촌도 모시겠다는 그 고마움에 모든 걱정을 내려놓고 편안함을 얻었다.

박정우 조카 장로님과는 충무교회와 충은교회에서 약 50년 넘게 함께했는데, 충은교회의 분리로 오랜 고민 끝에 서로 헤어지면서 좋아하던 손자 현이와도 만날 수 없어 서운하다.

오랫동안 경영해 온 정육점을 접고 고향 적덕에서 현대식 장비와 시설을 갖추고 과학적이고, 능률적으로 농사를 짓기 시작한 현장을 둘러보고는 그 지혜와 능력에 찬사를 보냈다.

남편에게는 형님으로 장상옥, 누님으로 장상이, 장말이, 그리고 장추자, 장옥련 두 여동생이 있었다.

남편의 형님은 2남 2녀를 두셨고 돌아가신 후 장남 부부가 교회 장로, 권사로 경남 아름다운 집으로 선정, 사철따라 예쁜 꽃이 피고 집뒤쪽 안정만에서 부는 시원한 바람에 닭들이 행복하다.

남편의 큰 누님은 적덕마을에서 사시며 3남 4녀를 두셨고, 현재는 96세로 요양원에 계신다. 큰아드님이 박정우 장로님이다. 작은 누님은 작년에 돌아가셨고, 3남2녀를 두셨는데, 그 중 장남인 김신도 장로님은 우리가 피아노 대리점을 하고 있을 때 본사에 가서 피아노 조율 기술을 획득하여 평생 조율사다.

큰여동생은 나와 동창이고 여전도사로 중학교 교사와 결혼하여 1남 2녀를 두었고, 진주에 살고 있다.

막내 여동생은 세 딸을 치위생사, 물리치료사, 꽃꽂이 강사로 혼자 훌륭히 키워냈고, 연락만 하면 달려오는 옆에 사는 응원군이다. 자주 만나고 싶어 핑계거리를 만든다.

조카들의 세계화

통영에서 서울 한양에 과거 보러 가던 시절 괴나리봇짐에 열흘 넘게 걸렸었는데 코로나19는 순간 지구촌에 퍼졌다.

한 조카는 영국에서 해산하여 언니가 산후 조리를 위해 다녀왔다. 조카들은 이스라엘 히브리대에 유학갔다가 현지인, 이태리인과, 미국 유학 후 멕시코인, 미국인과 좋은 환경과 인연으로 맺어져 각각 예루살렘, 캐나다, 미국에서 살고 있다.

국무총리 세 분의 통역사였던 조카는 세계를 누볐다. 한국인은 참으로 유능하고 진취적이다. 바로 내 눈 앞에 펼쳐진 사연이다. 세계 어느 곳에서나 자리잡는 위대한 우리 민족이 그 정신을 살려 함께 뭉치기를….

제7부

남편 이야기

통영 오케스트라의 꿈

중학교 음악교사인 남편의 오랜 꿈은 악기점을 열어 청소년들에게 악기를 무상으로 갖게 하고 또 가르쳐서 동양의 나폴리 통영에 오케스트라를 선물하는 것이었다.

교직생활을 그만 둔 내게 악기점을 하도록 제안하여 Y피아노 대리점 계약을 앞두고 같은 교회의 성도에게 밀려버렸다. 점포까지 준비된 상태라 K피아노와 계약하여 개업준비 중 Y대리점을 찾았다. 분명 따지고 싸우러 왔다고 생각했을 것이다. 문에서 막아선 부인에게 말했다.

"두 가정 모두 잘되기 위해 왔습니다."

"저희 개업 때도 들러주세요."

후일 들려온 사장님의 이야기는 이렇다.

"여자가 찾아와서 미안했고, 뺏긴 쪽에서 먼저 손 내밀고 잘 지내자고 한 것이 너무 부끄러웠다."

얼마 후 지역구 국회의원님의 S대리점 제의를 받았는데, 여성분과위원장을 맡는 조건이었다. 대리점을 계속하려면 수락할 수밖에 없었다. 그렇게 S와 Y 두 대리점의 무한경쟁이 시작되었다. 피아노 학원을 운영하는 제자들의 배려도 있었지만, 뒤통수도 많이 맞았다. 직접 거래보다 중간 역할을 하는 사람이 따로 있는 장사는 참으로 피곤했다. 그 입에 달렸으니까!

함께 잘되는 것이 아니고 혼자만 살기 위한 경쟁은 그만두고 싶었다. 오케스트라의 꿈은 다른 선택으로도 이룰 수 있었는데, 방향 설정의 잘못은 교장의 꿈도 정년퇴직의 꿈도 모두 앗아가버렸다. 순간의 선택은 평생을 좌우했다.

유치원, 교회, 학교 등에 피아노 기증이라는 작은 선물만 남기고 두 자녀가 대학을 졸업하자 정리해버렸다.

이제 뒤돌아본다. 의논할 사람도 도움을 주는 사람도 없이 오로지 둘이서 판단하고 부딪치며 열심히 살아온 삶이었다. 교사는 최고의 선물. 정년을 끝내지 못한 아쉬움이 남아 있다.

Piano의 그늘과
이화학원 김명영 원장님

아름다운 선율의 피아노.

누구나 갖고 싶고 연주하고 싶은 악기의 왕 피아노. 그러
나 그 대리점에 얽힌 어두운 그늘에서 오랜 시간을 보냈다.

남편의 오케스트라 꿈에 취해 무모한 사업을 시작했던 것
이다. K대리점 시절 서울 본점에서 출고 신청을 하고, 비행기
로 부산으로 내려왔는데 버스편이 끊겨 통영까지 화물차를
같이 타고 와야 했다. 마침 비가 내리기 시작했고 운전자가 쏟
아지는 졸음 때문에 이야기를 해달라고 요청한다. 비 내리는
5시간 동안 무슨 이야기를 어떻게 계속했을까? 어이 없다.

거제 장승포 피아노 세일즈에 얽힌 이야기도 있다.

고객을 소개시켜 주겠다는 Piano 선생님의 레슨 시간을 기다리는 동안 밀린 빨래도 손세탁해드렸다. 그 후 메트로놈과 책을 외상으로 가져간 후 계산했다며 시치미 떼었다.

'피아노 교사와 장사꾼 중에 과연 누구의 말을 신뢰할까?' 하는 생각에 포기해버렸다. 교사라는 너울을 쓰고 얌체로 살아가는 사람도 있었다. 하나님은 거짓을 알고 계실 것이다.

삼성조선 고현아파트 사택 5층에 올라간 피아노 앞면이 긁혀 흠이 생겼다. 힘들어하는 기사들을 다독여 통영까지 가서 새것으로 가져와 기분 좋게 교체해 드렸다. 왜냐하면 평생처음 마련하는 딸의 피아노에 난 흠은 얼굴에 난 상처와도 같으니까. 그 소문을 듣고 아파트 단지는 더 많이 협조해주셨다.

특히 후일 립 학원 원장님은 그때 사택에서 레슨하셨는데, 장사꾼이 아닌 인간적으로 대해준 것을 잊지 않는다.

운반, 이사와 조율. 피아노는 무겁기도 하지만 내가 연주도 못하고 모르기 때문에 더 어려운 문제들이 많았다. 그래도 최선을 다해 노력했는데, 고마운 분들이 많았다고 생각한다.

잊을 수 없는 이화음악학원 이야기.

이화여대 기악과를 졸업하신 김명영 선생님은 통영상고 이정국 교감 선생님과 결혼한 덕분에 통영인들은 큰 보배를 만났다. 피아노 대리점을 운영했고 딸을 그 학원에 맡겼기 때문에 문하생 발표회 때는 함께했다. 문화회관도 없을 때라 장소 섭외, 피아노 운반, 발표회장 꾸미기 등 모든 일을 기획하고 실행에 옮겼고, 우리 대리점은 사전 연습장이 되었고, 나는 행동대장이었다.

꽃네 사모님의 꽃꽂이는 일품이었다. 그당시에는 피아노 수강이 큰 비중이어서 이화학원의 발표회는 선망의 대상이었고 늘 대성황이었다. 이제는 입시생만을 도와주고 계신다.

통영에 시집 오셔서 통영의 음악 수준을 높여주신 선생님을 생각할 때마다 인연의 소중함을 다시 한번 깨닫고 항상 감사한 마음이다.

큰 아들 신호 군은 훌륭한 의사로, 둘째 치호 군은 카이스트 박사과정을 마치고 삼성에 근무하고 있다. 딸 은주 양은 이화여대에서 작곡을 전공한 후 활동 중이다. 두 부부는 매일 아침 7시경 등산을 생활화하고 있다. 22년 10월 5일 수향에서 출간 축하연을 베풀어 주신 것에 감사드린다.

88올림픽 성화봉송

1988년 8월 30일 화요일 오전.

88올림픽 성화가 충무를 지나간다. 어제부터 시내는 온통 축제 분위기. 날씨도 청명하다.

남편은 예술인의 제2구간 부주자로 선정되는 영광을 받았다. 시립합창단 지휘자, 음악지부장 등 헌신적 봉사에 대한 작은 보답이었다.

8월 30일 오전 9시부터 간선도로에 늘어선 시민들의 환영 속에 성화가 원문고개에서 시청을 경유하여 여객터미널에 도착한 다음 엔젤호에 실려서 부산으로 떠나는 순간이 클라이

출발을 기다리는 순간

남편과 김정호 외과의원 원장님

막스다. 민속놀이와 각종 공연이 신나게 펼쳐졌다.

자녀들은 아버지의 봉송 장면을 찍은 사진을 서울 아파트 자취방에 걸어두고 그 모습이 영원하기를 바라며, 사진 속 아버지와 대화를 나누곤 하였다.

그날 입은 티셔츠, 반바지, 양말, 운동화까지 그 모습을 잊지 않으려고 오랫동안 보관하면서 그날을 그리워했다.

자녀들이 성인이 되어 각자 독립하여 헤어졌다. 성화봉송 사진도 고향 통영으로 돌아와서 이제 우리 두 부부와 함께하고 있다.

이제 80을 넘어 무릎수술까지 받았다. 이 사진을 볼 때면 저런 때가 있었던가 하는 생각도 든다. 젊음은 너무도 아름답구나! 운동복 차림으로 활기차게 뛰던 그 시절을 추억한다.

신협 이사장과 아파트 운영위원장

21년간의 소중했던 교사 생활을 접고 대리점 사업을 맡게 된 남편은 아쉬움도 많았을 것이다. 학생을 가르치던 일과와는 다를 수밖에 없는 힘든 과제였다. 가르치는 것은 순수함이다. 장사는 상대방의 마음을 알 수가 없다.

그동안 통영복음신협의 이사로 활동 중이었는데, 신협에 문제가 발생하여 새 이사장을 선출하게 되었다. 주변의 권유도 많았지만 낯선 분야라 고민했으나 결국 맡게 되어 대리점은 내게 맡기고 신나게 출근했다.

탁월한 전문성을 높이 평가받는 모경책 전무님, 공명준, 윤

혁신, 황윤석, 황찬웅, 정은숙, 허미주로 짜여진 환상적인 직원 구성과 이사로 활약해 주신 이중옥 장로님, 전도원 장로님, 최승희 권사님, 감사로 활약해 주신 김임수 장로님, 최다현 님의 역할, 남편 친구들의 정년퇴직금 유치, 무조건 이사장을 믿고 맡긴다는 응원에 힘입어 신협은 100억 원 유치를 달성했고, 새 건물을 매입하여 탄탄대로의 기반을 닦았다. 후일 무전지점의 신설로 정은숙 초대 지점장, 황윤석 2대 지점장 두 분의 열정적 노력으로 신협은 충무시에서 모범금융기관으로 우뚝 섰다.

참 좋은 직원이 새로 오셨다. 최고 학부를 나와 인상 좋고, 여기가 고마운 직장이라며 최선을 다하는 정호영 씨다. 보기만 해도 언제나 기분 좋은 친절한 총각 직원이다.

남편의 신협 이사장 재임 10년 동안에 경상남도 회장, 남부평의회 회장, 중앙회 이사, 이사장의 네 직책을 모두 맡은 사람은 신협 역사상 거의 없었다고 한다. 양심과 정직에 대한 바른 평가로 보는 이도 많았다. 정직과 신뢰는 큰 자산이었다.

10년간의 임무를 끝내면서 특별감사를 요청하여 모든 책임을 질 것을 건의하였다. 그 결과 은퇴 후에도 감사, 부이사장을 맡게 되어 참여하는 영광을 얻었다.

요즈음 법인카드가 온통 나라를 시끄럽게 하고 있다.

신협이사장에 재직한 10년 동안 법인카드에는 아예 손도 대지않아 고지식하다고 생각한 남편이 새삼 고맙다.

신협 이사장의 여론은 아파트 주민들의 운영위원장 추천으로 연결되어 민주적 선출을 제의하여 2/3가 넘는 압도적 표로 당선되었다.

감사한 일은 총무 손선희 씨와의 만남이었다. 손선희 씨는 만점 총무였고, A동에 사시는 박일랑 관리소장은 아파트와 천생연분이었다. 5년 동안 모든 일을 공개경쟁으로 처리하고 그동안 받은 수당은 지하주차장 페인트칠로 주민에게 돌려주었다. 탁구실 설치, 운동기구 설치 등 나름대로 최선을 다하고, 젊고 유능한 김동건 위원장님을 선출하여 좋은 팀웍으로 잘 운영하게 되어 소원하던 도시가스도 들어오게 되었다. 우리 아파트의 행운이다. 도시가스로 생활비가 절감되는 효과가 생겼다.

만점 총무 손선희 씨가 근무하는 검찰청 가까운 곳 새 아파트로 이사를 가게 되어 실력파를 놓치게 되었고 아쉬운 이별을 하게 되었다.

경남 예총 공로상과 생활체육인상 수상

경남 예총 공로상 수상

경남예총 주최로 2000년 10월 20일 부부 초청으로 김해시 특설무대에서 예총 공로상 수상의 영광을 안았다. KBS와 MBC를 비롯한 여러 언론사에서 생중계하였고, 뉴스에도 방영되었다.

대학 시절 부산교회 어린이성가대 지휘, 방학 때 안정교회 성가대 지휘, 사량·한산·산양·유영국민학교 합창단 지휘, 의령중학교·고성중학교·통영여자중학교 합창단 및 합주단 지휘, 통영시 기독남성합창단 연길공연 지휘, 일본 공연 지휘,

경남 예총 공로상 시상식

충무교회·충은교회 성가대 지휘, 통영번시합창단 지휘, 통영시 어머니합창단 지휘 등을 도맡아 했는데, 각종 대회에서 수상하였고 무료봉사로 인정받았다.

경남 경찰청 교경협의회 회원, 각급 학교육성회 임원, 문화유치원과 충은유치원 원장으로 특히 음악 분야에 봉사한 공로 등을 인정받아 수상하게 되었다.

한 산 신 문

장상명 음협지부장 경남예술인상

교가정리 등 윤이상 음악세계 널리 알려

◇장상명 통영음협지부장.

장상명 통영음협지부장이 한국예총경남지회에서 시상하는 제11회 경남예술인상 공로상 수상자로 결정됐다.

한국예총 경남도지회는 지난달 24일 이사회를 열어 8명의 추천자 중 뛰어난 예술공적으로 심사과정에서 이사들의 많은 지지를 얻은 장지부장을 공로상 수상자로 결정하게 됐다고 밝혔다.

한국예총통영지부 부지부장이기도 한 그는 남다른 애향심으로 30여년간 초·중등학생들 음악교사로 통영현대 음악 발전에 기여하고 통영이 낳은 세계적 음악가 故 윤이상 선생의 음악세계를 널리 알린 공적을 높이 평가받았다.

지난해 통영예술제 행사에서는 윤이상 선생이 작곡한 관내 학교 교가 모음노래를 정리하여 동요부르기 대회, 영상음악회, 초청음악회를 개최하는 등 윤이상을 기리는 왕성한 활동을 했다.

또한 올해 통영예술제에서는 통영출신 음악생도 초청연주회 및 회원연주회로 이룬 「애향음악제」를 개최해 통영이 무릇 예향의 도시임을 널리 알리는데 앞장서고 있다.

본 예술인상은 매년 경남도 예술인 중 공적이 많은 4명을 선정해 시상해 오고 있는 상으로서, 시상식은 오는 20일 김해공설운동장에서 열리는 「제7회 경남예술한마당 큰잔치」에 부부동반으로 참석해 수상하게 된다.

【金英花 기자】

자랑스런 생활체육인상 수상

통영시 생활체육회 주최로 2013년 12월 17일 지도자 부문
에서 수상했다. 남편은 음악교사였지만 평생 운동을 사랑한
스포츠맨이기도 했다.

1989년 6월 22일. 중앙대학교 필동병원에서 박형무 교수
님께 4시간에 걸친 자궁절제
수술을 받은 후 건강관리를
위해 테니스를 선택하게 되
었다. 그 무렵 통영시에서 테
니스장 부지를 무상으로 제
공해 주어 회원들의 힘으로
테니스장을 만들기 위하여
평생회원을 모집하게 되었다.

남자는 100만 원, 여자는 50만 원씩을 받았는데, 40년 전 당시
에는 거금이었다. 그래서 꿈도 꿀 수 없었는데, 친구 남편인
시민약국 윤종원 선생님께서 천천히 납입하는 조건으로 가입
시켜 준 덕택에 평생회원이 되었고, 지금도 그 배려를 잊지 못
한다.

　　병원장, 약국장, 지원장, 여러 기관의 장, 기업인들의 가입
과 협조로 통영 최초의 테니스장이 탄생하게 되어 생활체육
을 부부가 함께하게 되었다.

　　남편의 은사이신 김상렬 선생님께서 게이트볼 회장으로
신협 이사장인 남편에게 협조를 부탁하여 10년 동안 후원해
왔다. 해마다 대회를 개최하여 어르신들이 즐겁게 운동하실
수 있도록 뒷받침하기 위해 이사회의 결의를 거쳐 도움을 준
것이 수상의 이유가 아닐까 생각한다.

고숙례, 문순희, 김순자, 김정화 (테니스 목련회 회원)

산수연(팔순잔치) 감사

1997년 회갑

가족예배를 드리고 아들 부부, 딸 부부가 아직 신혼이라 새 가족을 맞이한 기념으로 여섯 사람이 1997년 7월 13~18일 까지 인도네시아 발리 클럽메드에 뜻깊고 행복한 여행을 다녀왔다.

2006년 고희연(칠순잔치)

충은교회에서 감사예배를 드리고 뷔페로 교인들을 대접했 다. 손주 4명을 포함 10명 가족이 2006년 6월 29일~7월 3일까 지 괌 여행을 다녀왔다. SM5 승용차와 괌 여행은 아들·딸의 두 가정에서 준 선물이다.

2016년 산수연(팔순잔치)

2016년 10월 2일 충은교회에서 가족 모두 감사예배를 드렸다. 딸의 오르간 반주로 외손녀 예서가 클라리넷, 외손자 예하가 트럼펫, 손녀 윤지 · 손자 윤준이는 오카리나로 〈사랑받기 위해 태어난 사람〉을 연주하여 뜨거운 박수를 받았다. 공작뷔페에서 배달 온 음식은 뷔페 인기였다.

다음 주일에는 고향 안정중앙교회에서 감사예배를 드렸다. 수고하시는 목사님, 장로님, 권사님들을 모시고 교인들을 대접했다. 장로님이 태어나 자라면서 신앙생활한 교회의 산수연 예배는 감동적이었다. 아이들은 계속 올 수가 없었고, 막내 시누 장옥련 권사가 함께 동행했다.

아들 장지훈 교수의 인사 말씀

구정을 맞아 가족 10명이 2017년 2월 1일~5일까지 대만으로 행복한 가족여행을 다녀왔다. 충은교회, 안정

산수연 축하예배 기도, 이승기 목사님

중앙교회에 낸 장학 헌금과 대만 여행은 어릴 때 약속을 지키려는 아들·딸 두 가정에서 마련했다. 감사하다.

2022년은 내 산수연이 있는 해이다. 코로나 19로 모든 것이 뒤죽박죽이 되었지만 행복한 산수연을 맞이할 때가지 긴 여정을 함께해주신 하나님께 38년만에 감사드린다.

돌아온 교회에서 작은 잔치라도 베풀 수 없는 게 아쉽지만 해외선교에 이바지할 수 있도록 또 어머니의 삶이 책으로 출간되도록 아들과 딸 두 가정에서 성심껏 뒷바라지 해준 게 너무 고맙다. 앞으로 건강한 세상이 반드시 올 것이다. 그때는 가족 모두가 함께 여행이라도 하면 얼마나 좋을까. 꿈을 꾼다.

83세의 인공관절수술

현대의학의 눈부신 발전은 무릎관절을 갈아넣는 인공관절 수술이 보험수가로 적용되면서 일반화되어가고 있다.

2019년 4월 4일 남편은 83세로 서울 잠실 소재의 서재곤링커병원에서 3시간에 걸쳐 두 무릎을 수술받았다. 수술 후 큰 붕대 떼어내기, 피주머니 떼어내기 등 모든 일을 간병인 대신 했다. 지켜보던 간병인 대장은 자기들보다 낫다고 격려해주었다.

한 가지 놀란 것은 많은 간병인들 대부분이 중국에서 온 우리 교포들이라는 사실이다. 대부분 50대 후반의 여성들이 서울 근교에 모여 살며 간병인협회에 등록하고 교육을 받은 후 취업하여 번 돈을 가족들에게 송금하고 있었다.

그들을 보면서 하와이 농장 이민, 파독 간호사, 파독 광부들이 다시 생각났다. 부지런하고 성실하여 어느곳에서나 열심히 땀흘리던 우리 국민들이었는데, 이제는 일자리를 외국인들에게 내어주니 그저 안타까울 뿐이다.

수술 3일 후 화장실 가기를 시작으로 물리치료, 도수치료, 90도 다리꺾기 등 피나는 재활운동이 시작되었다.

옆 자리에 계시던 박택현 환자를 간병인이 없어서 간혹 돌보아 준 인연으로 찰밥과 밑반찬을 자주 주셔서 너무 감사했다. 며느리 약국 근처에 살고 계셔서 좋은 인연도 맺게 되었다.

4월 17일에는 재활중심 드림병원으로 옮겨, 6인실 공동생활이 시작되었다. 그 중 2명은 간병인이 돌보고 또 다른 2명은 아내가 간병했는데, 부부는 원수처럼 싸웠다. 이렇게 될 수도 있구나! 그러다 헤어지면 얼마나 후회스러울까?

목포 우리교회에서 오신 김영란 권사님은 2년 넘게 남편을 간병하며 복도와 계단에서 운동을 시키셨다. 옆 경찰병원에 근무하는 아드님이 아침 일찍 어머니에게 지압·마사지를 해드리고 출근하는 것에 감동했다. 마른 생선 반찬을 드렸더니 잘 드시는 것을 보고 통영 가면 보내드리겠다고 마음 먹었는데, 통영에 돌아온 후 교통사고로 물거품이 되어 버렸다.

원로 장로의 길

1950년 남편이 중학교 1학년 때 일어난 6.25전쟁.

물밀 듯 내려온 인민군에게 작은 마을인 안정이 점령당했다. 부락에서 유일한 큰 기와집 3칸은 인민군의 주둔지가 되었고, 당시 중학생이던 남편은 인민군들의 심부름꾼이 되었다. 남편의 어머니와 형수는 그들의 밥을 지어야 했고, 온 식구가 숨을 죽이고 살았다.

약 1개월 후 인민군이 물러간 후 또 다른 두려움이 몰려왔다. 동네 사람들은 모두 노산리 큰 창고에 갇혀 총살 위기에 내몰리고 있었다. 인민군에 협조한 사람은 무조건 총살이라는 괴소문이 나돌았다. 총부리 앞에 밥을 짓지 못하겠다고 나설 수 있는 용기가 있을까?

드디어 안정만에 대한민국의 군함이 나타났다. 마을 전체는 흉흉한 소문으로 두려움과 무서움에 떨었다. 해군특사가 나타났다.

"이제는 모두가 죽는구나!"하고 체념한 순간, 날아온 뜻밖의 낭보.

"이승만 대통령의 특명이다. 기독교인은 무조건 석방한다."

모두가 울면서 하나님께 감사하며 기도로 부르짖었다.

안정잿곡마을은 제1로 하느님을 섬기는 마을이 되었고, 교회와 목회자에게 헌신적이었던 시부모님의 은혜로 마을이 살게 되었다고 감사했다.

장로님이신 시아버지는 남편이 목사되기를 원하셨다. 같은 동네 이양갑, 이태경, 이윤정 네 사람이 함께 도천교회 구석방에서 고교시절 자취를 했는데, 세 분은 목사님이 되셔서 목회자를 많이 배출한 마을이라는 명성을 얻게 되었다.

남편은 사범대학을 졸업하고 교사가 된 후 충무교회에서 결혼식을 한 후 성가대 지휘자, 문화유치원 원장, 장학회·선교회·전도회 임원으로 20년을 넘게 함께하다 충은교회 성가대 지휘를 위하여 떠나게 되었다.

1984년 5월 6일 공동의회. 장로 후보를 선택하는 날. 그날 아침 남편에게 선언했다.

"당신은 더 기다려야 돼요."

투표에서 2/3를 얻어야 하는 어려운 관문이었다. 남편과 후배 두 사람이 합격선을 넘어 피택되었는데, 남편이 얻은 표가 1표 적었다.

만약,

① 남편에게만 투표하고 후배에게 안 했다면 : (남편 + 1표)

② 남편과 후배에게 모두 투표했다면 : (득표수 같음)

③ 남편과 후배에게 모두 투표 안 했다면 : (득표수 같음)

동 표일 경우에는 연장자 순으로 선임장로가 된다.

후배 장로는 내가 투표한 한 표 때문에 선임장로가 되었는데, 봉사직인데도 그 기세가 대단했다. 그때는 내 마음이 짠했다.

그 후 그 분은 교회의 재정문제와 사업실패로 외지로 떠났고, 선임장로가 된 남편은 공동의회에서 모든 것을 연장자 순으로 하며, 또 투표로 뽑던 원로장로를 투표없이 추대하기로 결정하는 등 좋은 선례를 만들었다.

38년을 지켜온 교회가 이단에 팔리는 실수로 많은 어려움을 겪다가 결국 비워주게 되었다. 2020년 4월 12일 늘푸른교회로 옮긴 후 도장을 받는 일로 인하여 분열되기 시작하면서 한때 성도 500명에 이규왕, 손춘현, 조병철, 김양흡, 김광명, 한재희 등을 비롯한 기라성같은 목사님들이 시무했던 이름난 충은교회는 자취를 감추다시피 되었다.

무릎수술로 인한 장기간 치료로 적극적으로 나설 수 없었기에 하나가 되기 위하여 어느 쪽에도 도장을 찍지 않았다. 그러나 원로장로로서 하나를 만들지 못함은 두고두고 후회스러웠다. 교회는 두 곳으로 나누어졌다.

그렇지만 우리 가정에 감사한 일은 조카 부부가 목사 사위를 얻었고, 아들도 총신대학원 3년생으로 증조할아버지의 꿈을 이루어드리게 된 것이다.

조카들이 모두 장로직분과 권사 직분으로 봉사하게 된 것은 돌아가신 부모님의 기도 덕분이다.

충은교회 정든 사람들과의 이별

38년 된 교회를 떠나며 아름다운 사람들과 이별했다. 믿음과 생활의 기둥이고 모범이던 장로님들과 주일이면 자매처럼 다정했던 권사님, 집사님들과의 헤어짐은 아픔이었다.

강주인 집사님은 선교지에 1,000만 원 헌금을 보낼 때 안나회에 10만 원 협조를 부탁하여 안나회 이름으로 선교지에 송금했고, 태국 선교 때는 운영 중인 '닥스'에서 의류 약 200점을 선물로 현지인들에게 나누어주었다. 얼마나 고마웠을까?

토요일 밤에 공순임 집사님댁에 불이 났다. 그런데 다음날인 주일 교회차를 운전하기 위해 웃으면서 나타났다.

아! 그 믿음에 감동하였는데, 이제는 더 볼 수 없게 되었다.

김혜영 집사는 세 아이의 어머니여서 더 아름답다. 젖먹이는 누구에게 맡기고 성가대로, 또 교사로 주일학교 학생들 앞에서 무용하는 모습이 참 예쁘다. 그 모습을 잊지 못하기에 헤어짐이 슬프다.

여자들이 맡아야 할 모든 일을 솔선하던 행동대장 배행이 권사는 아픈 다리를 치료하며 강행군에도 전혀 표내지 않고 늘 웃는 얼굴이다. 그 용감함은 어디에 가도 그리울 것 같다.

황영미 집사님의 남편이신 김정균 경상대 학장님과 동창회 총무를 12년간 맡았던 장로님과는 호흡이 잘 맞았다. 백내장수술을 받은 장로님을 위하여 손수 운전해 주셨다. 이제 가까이에서 함께할 수 없게 되어 안타깝다.

이현옥 권사님은 어릴 때부터 어머니끼리 친구였고, 오빠 이세훈과는 충렬고 같은 반 친구였다. 블라우스에 예쁜 수를 손수 놓아 입으셨으며, 주일학교 어린이들 입학선물로 정성껏 수놓은 기념품을 보내셨다. 여고 시절 수놓은 우리집 식탁보와 레이스커튼, 사방탁자 위에 놓인 수예품들을 칭찬하며 좋아하시던 모습도 이제 이별이다.

민영화, 송재열, 천태진 세 집사는 교회의 듬직한 일꾼이었다. 세 집사는 충렬초등학교 3, 4학년 때 같은 반 친구였고,

그 반을 2년 동안 내가 담임을 맡았던 귀한 인연이다. 그런데 교회에서 다시 만났다. 전성애 권사님은 천태진 어머니인데 만나서 서로 믿고 신뢰하는 사이가 되었다. 이규왕 목사님은 남편 천영주 집사님을 영국신사로 부르셨다.

최은란 권사님은 통영옻칠미술관에서 작품을 제작 전시하였고, 동방대학원대학교 옻칠조형 석박사과정을 수료하였다. 교회를 신축하면 걸겠다고 약속하던 옻칠작품을 이제 만날 수 없게 되었지만, 차남 조윤수 집사님의 교회 신축에 대들보 역할을 하게 된 것이 감사할 뿐이다.

그동안 숨겨두었던 이야기 하나. 이제는 꼭 알리고 싶다.

2007년 6월 10~15일까지 중국 연길 심양 단기선교에 다녀오신 최은란 권사님은 그곳의 열악한 의료환경을 목격하고 오셔서 상상도 못할 큰 금액인 5,000만 원을 즉시 신협에서 대출하셔서 최신형 앰뷸런스를 구입하도록 연길교회로 보내셨다. 본인은 여태껏 비밀로 하고 있었지만…. 모두가 마음으로라도 응원해야 될 것 같아 알리기로 결심해 버렸다.

소박하고 검소하면서 어려운 사람과 목회가 힘든 목사님들을 남몰래 돕고 있다.

어디를 가도 찾아보기 어려운 귀한 청년들 고현석·이애경 집사 부부, 박득희·김혜영 집사 부부, 임재민·김한나 집사 부부, 조윤수·김량현 집사 부부, 이영록·김현희 부부.

김현희 성도가 어린 아기를 캥거루처럼 안고 노래하던 모습은 어디에서도 볼 수 없는 아름다운 풍경이었다.

투석 중인 서순보 집사님을 뜻밖에도 충무교회에서 만났다. 교회 분열을 막기 위해 뛰어다니다 쓰러지자, 남편이 살자며 교회 옮길 것을 사정하고 애원했기 때문이라고 한다.

조진규 교장 집사님은 아들 지훈이가 충렬국민학교 6학년 때 옆반 담임이셨지만 좋아하고 아껴주셨다.

산수연 예배 때 여동생 순금이와 교대 선후배로 반갑게 잔치에 참여했다. 만날 때마다 "장 교수 잘있느냐?"며 물으셨는데, 정을남 집사님과 함께 충무교회에 먼저 와 계셨다. 안정 고향 잿곡마을 아래 윗집 소꿉친구였고 후일 사돈이 된 이양조 장로님과 이정식 장로님 두 분이 계셔서 든든하다. 은퇴하신 이화전 장로님께서 우리 부부를 먼저 찾아오셔서 동생 친구답게 "누님!"하고 부르며 반갑게 맞아주어서 너무 감사했다.

지난 추석 전날 최은란·이현옥 권사님과 황영미 집사님이 장로님께 선물과 함께 추석인사를 왔는데 너무 감격했다.

38년만에 돌아온 충무교회

2021년 3월 7일. 38년만에 돌아온 충무교회에서 예배를 드렸다. 이렇게 좋은 교회를 지어놓고 그냥 떠났었다.

충무교회는 그동안 주변 환경이 너무 많이 변했다.

충렬여상, 충렬여중, 통영초등학교, 법원, 검찰청, 세무서 등이 무전동, 용남면으로 옮겨갔다. 세병관 주변에 통영12공방을 재현하였고, 삼도수군통제영과 통영전통공예품전시관과 대형 주차장이 들어섰다. 통영특산 꿀빵거리도 생겼다.

교회 입구 오른쪽에는 '진리의 기둥과 터(2019. 9. 1.)', '충무교회 설립 및 호주선교 100주년 기념탑(2008. 4. 5.)', '통영 3.1운동 기념비(2019. 10. 27.)'가 세워졌고, 왼쪽에는 '충무교회(1905. 4. 5. 설립)' 네 개의 탑이 우리를 맞아준다. 도시계획으로 깨끗이 정비된 교회앞 광장에는 벅수(장승)와 우물터가 옮겨왔고, 고전 형태의 병영체험관·역사홍보관·지하주차장이 신축되었다.

116주년을 굳건히 지켜온 충무교회에 하나님이 주시는 축복의 선물이라고 굳게 믿는다. 이곳에서 올린 결혼식의 축복을 장례식까지 마칠 수 있도록 기도한다. 60대의 목사님을 만났다. 나이 많은 분들을 배려하여 하나님께로 한 살 더 가까이 가는 것이 축복이 되도록 어른들을 돌보아주시는 목회자 부부에게서 오랜만에 평안함을 얻었다.

가슴 따뜻해지는 설교, 성경말씀과의 연결, 수준 높으면서도 전문적으로 기억되기 쉬운 예화와 유머, 지역까지 아우르는 혜안의 설교말씀은 마음 속까지 훈훈해진다. 이제 충무교회는 120년 역사의 새로운 비전을 위하여 기도로 준비중이다. 설교를 기록할 수 있도록 시력과 청력이 오랫동안 함께했으면 하는 간절한 바람이다.

6개월마다 모이는 새 신자 모임. 코로나 19로 교인이 줄어드는 이때에 주일마다 새 신자로 모일 수 있음에 감사한다. 사모께서 직접 담가 새 신자들에게 주는 물김치는 처음 만나는 감격이고 다시는 만날 수 없을 것 같다. 그 마음씨가 아름답다.

진리의 기둥과 터(2019. 9. 1.)

충무교회 설립 및 호주선교 100주년 기념탑(2008. 4. 5.)

통영 3.1운동기념비(2019. 10. 27.)

충무교회(1905. 4. 5. 설립)

2021년 8월 15일 "드러나지 않는 지도자 갈렙" 설교 말씀에서 갈렙과 85세 동갑인 장 장로님은 이제 갈렙이 되었다.

충무교회에 오면 만날 수 있으리라 기대했던 한 해 선배인 김순애 선배님은 교회 분열로 엣셀나무교회로 가셨다. 합리적이고 현명한 그래서 잘 통하는 선배였는데…. 충은교회에서 식사당번 콤비였던 임평자 권사님도 엣셀나무교회로 가버리셨다. 안타깝게도 그리로 떠나셨다.

충은교회에서 함께한 강명득 장로님의 조카 김문형 집사, 우현희 권사 부부를 만나 그 친절에 감사했다.

분열된 충은교회가 2022년 2월 6일 죽림에 새 교회를 건축하여 첫 예배를 보게 되었다. 큰일에 부딪쳤을 때 하나로 뭉쳤더라면 함께할 수 있었을 텐데, 두고두고 아쉬움이 남는다.

2022년 2월 14일 정월대보름 전날 뜻밖의 오곡밥과 나물이 도착했다. 80 평생 처음으로 교회 목사님 부부로부터 받은 따뜻한 밥이었다. 3월 16일 확

돌아온 충무교회에서 장상명 장로의 2021년 추수감사절 하모니카 연주.

진자가 40만 명을 넘어 이제 정점을 향하여 달려가고 통영에도 993명이 확진되어, 꼼짝 못하고 갇혀 있는 확진자 가정에 교회에서 육개장을 보냈다는 고마운 소식이 들려왔다. 시장도 못가는데 얼마나 좋은 선물이었을가?

늘푸른교회에서 복된교회로 옮겨온 충은교회는 안상국 목사님의 큰 배려와 교인들의 성숙함으로 약 15개월을 큰 어려움 없이 지내다 신축교회로 옮겨갔다. 떠난 지 1개월 후 그동안 아껴주시던 이광자, 이덕숙 권사님 두 분이 안목사님과 함께 만났다. 그 동안 고마움을 잊지 않고 처음으로 전화해 주신 두 권사님을 돌아 가신 네 분 이모님 대신 이모님으로 모시고 싶다고 말씀드려, 한 편의 인간드라마가 펼쳐졌다.

2022년 3월 16일 목사님이 키우시는 금붕어가 있는 손수 가꾼 꽃밭천국교회에서 점심도 함께하며 권사님이 지은 노래도 함께 불렀다. 복된교회는 이름처럼 참으로 복된교회다.

22년 12월 23일, 조가 박정우 장로님 부부로부터 그동안 인권위원, 출입국 관리국장, 의료분쟁 상임조정의원을 끝내시고 귀향한 강명득 장료님 부부와 거제 외포항에서 대구탕을 대접받고 '몰리힐스' 카페에 앉았다. "아! 펼쳐진 세계 제1의 절경이여! 무조건 이곳 바다로 한 번 와 보세요."하고 외치고 싶다.

충무교회 100년사의 기적,
아버지를 찾다

충은교회의 이광자·이덕숙 두 권사님은 자매 사이다. 교회가 분리되면서 나누어질 위기를 겪었지만 형제답게 한 교회로 나가신다. 아버지, 어머니, 할아버지, 할머니가 충무교회의 옛 뿌리였고 여자 형제 네 사람이 함께 유아세례를 받았다고 한다.

2021년 3월 7일 충무교회로 온 후《충무교회 100년사》를 다시 한 번 상세히 살펴보기로 하였다. 이덕숙 권사님께 자료 확인을 부탁드렸더니 동사무소에서 가족관계를 확인해오셨다.

이광자·이덕숙 권사님의 부모님은 이차학, 김음전.

이광자·이덕숙 권사님의 조부모님은 이춘우, 한소액.

2021년 3월 15일. 백년사 420쪽의 세례자 명단에서 김만일 목사 집례, 1925년 6월 13일 이차학[17]을 찾았다. "아버지를 찾았습니다."하고 저녁이라 문자를 보내드렸다. 아버지를 찾았다는 기쁨에 밤새 눈물을 흘리며 하얗게 세웠다고 한다.

백년사를 완성시킨 구문근 장로님. 114세 된 아버지를 찾게 한 기적을 주셔서 감사합니다. 두 권사님께 백년사를 주신 장준한 목사님 고맙습니다. 직접 전해주신 이윤재 목사님 수고하셨습니다.

또 하나의 기적. 이덕숙 권사님의 딸이 세 살 때 디프테리아로 숨을 헐떡이는 죽음 직전에 구 장로님께서 수술로 살리셨고, 그때 수술을 하도록 연락하여 도와주신 최승희 권사님을 50년 동안 잊지 않고 감사한 마음을 간직하고 계셨다.

아버지와 딸의 고마움으로 2021년 5월 27일 수향에서 좋은 자리를 마련했는데, 구 장로님으로부터 우리 모두 도로 선물을 받았다. 너무 아름다운 풍경이었다.

담임복사 방송설교
CTS TV(유선) 매주 수요일 오후 1시

환희의 성가대

2022년 4월 17일 부활절 할렐루야, 호산나 두 찬양대가 연합으로 할렐루야를 찬양 모두 기립 찬양을 받았다.

목사님께서는 내년 전교인 할렐루야 찬양을 제안하셨다. 정혜진, 민경선 두 집사님의 환상적 지휘와 반주에 감동한 남편은 옛 지휘자 시절을 기억하고 지휘자와 감사 통화를 하던 중 옛날 통여중에서 함께 근무한 정소용 과장님의 따님임을 알게 되었다. 이제 이태리 지휘자 박사학위 수여식을 23년 2월 15일에 갖게 되었다. 민경선 집사님은 22년 5월 22일 찬양대(피아노 반주) 20년 근속상을 수상했고, 23년 4월 30일 공동의회에서 권사로 피택받았는데, 이분은 구문근 장로님의 큰 며느님이다.

충무교회 설교 1편과
금요영성기도회의 장준환 목사님

38년만에 돌아온 교회인데, 코로나 19 때문에 마스크로 얼굴을 가려 서로 알아보기도 어렵고 식사도 중단되어 소통도 만남도 올스톱이다. 오직 예배와 설교 말씀만 있을 뿐이다. 특히 감사한 것은 목사님의 설교를 듣고 여태껏 잠자고 있던 메모하던 옛습관이 되살아난 것이다.

이번 주 25번째 설교 말씀을 기록해 본다.

제목 : 여호와께서 원하시는 것

설교 : 장준환 목사님

구약 미가서 6장 6절~9절

일시 : 2021년 8월 22일

□ 사진 2장이 화면에 나왔다.

● 왼쪽 사진 : 아프간공항 미군 수송기 안 → 정원의 100
배가 넘는 인원이 탑승

● 오른쪽 사진 : 아프간 아빠가 아기를 미군에게 넘겨주
는 광경(아기만이라도 더 나은 나라에 살게 하기 위하여)

□ 20년만의 미군 철수 후 탈레반에 점령당한 이유는?
20년 동안 1년에 100조씩, 총 2,000조 원을 원조했다.

● 서울시 예산 1년 35조 원+경기도 예산 1년 28조 원=63
조 원(두 곳 1년 예산의 약 2배)

● 군인 30만 명 봉급 지불 → 실제로는 10만 명(20만 명 유
령 봉급) → 횡령

● 엄청난 투자에도 일어날 힘도 없고 의지도 없어 물질
만 낭비하므로 철수하였음.

□ 한국전쟁의 역사 →그당시 세계 제2의 빈국
① 맥아더 장군의 인천상륙작전
헬기로 서울 도착 → 흑석동에서 한강을 보다 → 끊어진
철교 위 군인 발견 후 짚차로 달려온 맥아더 장군 → 왜 여

기에 있느냐? → 상부의 지시가 없어서 지키고 있다 → 앞으로의 계획은? → 상부의 지시가 있을 때까지 지킬 것이다 → 감명받은 맥아더 장군 → 한국은 지킬 가치가 있다(정신력)

② 빌리 그라함 목사 → 20대 영성의 대가. 환상으로 한국을 보다, "한국을 도와라" 전쟁터 집회. 크리스마스 군인들과의 축하 예배.《내가 본 한국전쟁》. 이 책이 전도책자로 미국을 감동시켜 한국이라는 나라를 알게 하였고, '한국 돕기 운동'이 폭풍처럼 번져나왔다.

한국전쟁 때 미군 사망자 54,246명, 부상자 103,248명, 매일 수송기로 부상자 100명, 사망자 50명을 3년간 실어갔다. 워싱턴 한국전쟁기념관에는 이런 글귀가 새겨져 감동을 준다.

"자유는 공으로 얻어지지 않는다. 보지도 못했고 알지도 못한 사람을 지키기 위해 국가의 부름으로 여기에 묻혀 있는 이들에게 경의를 표한다."

부모형제의 그 아픔을 우리는 조금이라도 함께했을까? 얼마쯤의 우리 국민이 위 사실을 알고 있을까? 6.25때 미군 부상자와 사망자들의 처리가 궁금했는데, 오늘 정확히 알게 되었다.

설교 말씀은 "살기 좋은 평화의 시대 촉구"

동 시대 이사야와 미가에게 준 똑같은 계시다.

- 우시아 임금→80명 제사장이 말려도 듣지 않아 이마에 나병 발생
- 아들 요담 임금→아버지를 지켜보았기 때문에 잘 다스림
- 요담 아들 아하스 임금→각종 우상 숭배. 자녀까지 불살랐다. 솔로몬 성전에 가지 않고 우상을 만들어 하나님을 잊어버렸다.

미가는 70년 바빌론 포로생활을 예언하면서 2가지 죄를 제시하였다.

① 하나님께 우상숭배로 지은 죄, ② 백성들의 삶에서 지은 죄를 알리며 우리가 신앙을 바꾸지 않으면 역사는 거울이며 반복됨을 강조.

엘리야에게 "남은 자가 7,000명이니 그길로 가라."

"남은 자란 우상을 숭배하지 않고, 겸손하고 정의롭고 정직하게 살며, 인자를 사랑하고 긍휼히 여기는 자"

하나님은 재림 시 남은 자를 찾는다. 우리는 반드시 남은 자가 되어 하나님과 동행해야 한다.

장준환 목사님은 말레이시아에서 선교사로 활동 중 두 곳의 한인교회를 하나로 합친 주역이시다. 진정한 하나의 교회가 될 수 있도록 목사님 한 분께 맡기고 떠나기로 결심하고, 한국의 교회를 인터넷으로 검색하던 중 제일 먼저 충무교회를 만났다. 최남단 먼 곳이라 주변의 만류도 많았겠지만 처음을 선택한 데에는 충무교회 출신인 친구 장봉생 목사님의 "장준환, 너는 잘해낼 수 있을 거야."라는 믿음이 큰 힘이 되었다고 하셨다.

경북 예천 송전교회 110주년 기념예배 설교말씀을 하셨다. 그 역사 속에 작은손으로 호롱 안을 닦고 호롱불을 켜서 교회를 밝히고 얼음물에 걸레를 빨아서 교회 바닥을 깨끗이 청소하던 그 소년이 장준환 목사님이시다.

말레이시아에서 산모가 출산 중 응급상황이 발생하여 피를 구한다는 급한 소식에 병원으로 달려갔다. 41세라 헌혈을 거부당했는데 "나는 목사이니 내 피는 깨끗하다."고 주장하여 헌혈에 성공, 죽어가던 산모를 살렸다. 그 순간의 기지가 놀랍다.

충무교회로 돌아온 이후 자랑스럽고 널리 알리고 싶은 것은 '금요영성기도회'이다. 찬양과 설교, 기도로 오후 8시 30분부터 10시까지 진행되는 이 뜨거운 기도회는 장준환 목사님의 혼신을 다하는 열정과 117주년을 넘기는 교회의 새로운 비전을 제시하는 소망이 담겨 있다. 이 기도회가 통영 모든 교회의 중심이 되고, 전도의 불길이 되기를 바라며, 교회에 참석할 수 없어도 유튜브로 함께할 수 있는 이 시대에 감사한다.

장날이면 교회에 주차를 하고 장을 보러 간다. 어느 날 주차를 하다가 교회 모퉁이에서 누군가가 쓰레기 분리 수거를 하고 있는 모습이 눈에 띄었다. 낯익은 모습인 것 같아 자세히 보니 담임 목사님이셨다. 지금까지 교회에서 처음 본 모습이었다. 부지런하고 교회를 아끼시는 분이시구나. 도와드리지 못하고 못 본 채 그냥 장 보러 가버린 것이 종일 마음에 걸렸다.

그러나 오늘도 통영 3.1운동 기념비 앞을 지나며 100년 전의 옥중 감상문을 읽고 또 읽으며 감동하고 위로받으며 내 자신을 뒤돌아보며 반성한다.

〈통영 3.1운동 기념비〉에서

"너희가 태산을 떠다 옮겨놓을 수 있을지언정 태산같이 음직이지 않는 우리의 마음을 떠옮기지 못할 것이며. 또 너희가 강철은 굽힐 수 있으나 강철같이 굳센 우리의 마음은 굽힐 수 없다." (진명유치원 보모 문복숙. 양성숙. 김순이의 옥중 감상문에서)

대학과 고교 두 동창회의 이별

부산사범대학 음악과 3회 졸업생 모임인 삼음회는 1980년 경 남편이 초대 회장으로 전국을 순회하여 결성한 동창회이다. 모일 때마다 지역 교회를 방문하여 특별찬양과 기도로 봉사했다. 남녀공학이어서 대부분 장로, 권사로 성숙된 합창을 선사하고 있다.

통영에서 모였을 때 충은교회 수요예배의 특송은 많은 교인들이 두고두고 오랫동안 잊지 않고 감격하며 고마워했다.

대만(1997년도), 상해, 항주, 소주 계림(2001년), 캐나다(2004년도), 일본(2006년도) 등을 여행할 때에도 호텔이나 교회에서 특송으로 전도활동을 함께하였다.

잊지 못할 이야기 하나.

남편의 대학 시절 장질부사와 영양실조로 거의 죽음 직전에 이르렀을 때 당시 여학생이던 진영자 선생님이 죽과 약, 보살핌으로 건강을 되찾게 해준 일화는 유명하다. 앨범 속 두 사람이 나란히 찍은 사진을 볼 때마다 남편은 그 시절을 그리며 감사해 한다. 고교 동창들과 비교하면 모두 건강하고 장수하는 편이다. 노래와 기도하는 신앙생활의 결과가 아닐까?

책을 받아보신 진영자 선생님께서 답장과 에뜨루 대형 스카프를 선물로 보내주셨다. 너무 고마웠는데, 여자 동창들이 너는 책에 나왔으니 한 턱 쓰라는 이야기를 들으셨다고 전해

삼음회의 중국 계림 여행 때

오셨다.

남편의 대학 1학년 겨울방학 때 부산에 사는 배용현이라는
친구가 시골 안정까지 찾아왔다. 저녁 때 도착한 친구가 아버
지께 인사를 드리러 방으로 들어왔다. 전깃불이 없던 시절, 컴
컴한 방안에서 인사드린다는 것이 남편에게 큰 절을 올렸다고
한다. 마루에 매달린 호롱불까지 함께 웃었다.

통영의 명문 통영수고 32기 모임은 32명으로 40대에 시작
했는데, 이제 6명이 남았다. 2021년 약 40년이 넘은 두 동창회

통영수고 32회 야유회

모임이 코로나 19로 어려워졌다. 코로나가 어떻게 알고 찾아왔을까? 헤어져야 할 슬픔을 정확히 알려주었다. 모두 끝냈지만 코로나 19로 모두 만날 수 없음을 위로한다.

백신 예방주사 3회 접종 덕택으로 통영의 단짝 김건식 전무님, 변복만 동장님, 이주안 지점장님과 함께 식사하는 즐거움이 있다. 코로나 19가 물러가면 부산, 대구의 가까운 동창과 만날 수 있기를 희망한다. 2022년 4월 19일 4차 접종을 했다.

서울 동창생 신성부 장로님은 한결같이 전화를 주셔서 서로 소식을 전하므로 옆에 계신 것 같다. 지난 해 건강상 어려운 고비를 잘 넘기고 회복하셨다고 한다. 아들 결혼식 때 축복기도해 주신 것 잊지 않고 있다.

수고 동창 김병열 씨 사모님 선생자 여사는 항남동 대리점 시절 옆에서 세명사 양품점을 하셨는데, 간혹 아들 김지훈 군의 공부를 돌봐준 인연이 있으며 오랫동안 한결같이 따뜻했다. 해마다 손수 담근 맛있는 멸간장을 주셨다.

두 부부는 통영시청 근무 때 만났는데 선 여사가 센스 있고 미인이어서 박정희 대통령께서 통영시청을 방문했을 때 모든 일정을 맡은 일화가 유명하다.

73년 만에 만난 친구 김옥률

2023년 4월 13일 거제시 가배마을로 73년 전 15살 때 헤어진 남편의 친구를 만나러 기적의 길을 달리고 있다. 평생 잊지 못하던 친구를 몇 달 전 이양조 장로님을 통하여 사촌여동생 덕이를 찾아 전화를 걸었는데 마침 옛 전화번호를 여태껏 살려두어서 고맙게도 연락이 되었다.

이양조 장로님과는 친구가 사촌간이라 두분이 함께 가자고 약속하여 뜻밖에 양둘련 친구 부인께서 여자들도 함께 오라며 직접 부탁하는 그 정성이 고마워 박덕순 권사님과 함께 나섰다. 동네 어귀에서 기다리는 부부를 따라 유명한 목련횟집에서 자연산 회를 실컷 대접 받았다.

차를 없앤 뒤 만난 게 너무 아쉬운 남편이다. 그래도 이양조 장로님께서 직접 차를 운전할 수 있어서 너무 감사했고, 모처럼 바닷가를 따라 신나게 드라이브를 즐겼다.

친구 부부께서는 조그만 선물을 드렸는데 큰 선물을 주셨다. 손수 담근 맛있는 젖국, 멸간장, 콩간장, 매실즙, 미역, 산나물을 주셔서 몇 년 동안 먹을 수 있겠다.

두 분 슬하의 3남3녀가 훌륭히 성장 공무원으로 근무 중이고, 두 분은 좋은 환경과 자연에서 축복받은 삶을 누리고 계셨다.

교회에 나가 함께 천국 가자며 두 장로님이 열심히 전도하셨다. 강건하셔서 또 만나며 함께할 수 있기를….

왼쪽부터 김옥률, 남편
(2023년 4월 13일 가배마을에서)

왼쪽부터 김옥률, 남편, 이양조, 박덕순, 양둘련, 필자

한번씩 생각나는 안영국 부목사님

2011년 1월 2일 부임한 후 약 7년간 충은교회에서 시무하셨다. 심방 때 눈여겨 보셨던지 어느날 드라이버를 가지고 오셔서 그때까지 걸지 못했던 액자를 걸어주셔서 감동을 받았다. 장로님 산수연 때 모든 일을 원만히 치르도록 보살펴 주셨다.

2017년 8월 4일 거창교회 담임목사로 떠나시던 날, 동행 이사까지 함께하느라 경황이 없으신 목사님 부부를 대신해서 이름난 거창갈비집에서 통영에서 함께 가신 23명에게 갈비탕을 대접할 수 있는 기회가 주어짐에 감사했다. 3명의 자녀로 어린이집 교사로 근무한 사모가 오백만 원 헌금을 하고 떠남에 감격하여 칭송하는 소리가 들려와 고마웠다.

제8부

고마운 인연들

통영지구 10회 동창들과 함께

동창회 수첩과 이정연 회장님

통영여자고등학교는 자랑스런 모교다. 가난했던 시절 학비 감면의 혜택은 한일합섬 공장에 가지 않고 교사가 될 수 있었고 오늘이 있다.

오랫동안 동창회 총무·회계를 맡아 조그마한 힘이라도 보탤 수 있는 역할을 주신 이정연 유림 회장님께 항상 감사한다.

《동창회 수첩》 제작을 맡았다.

9회 송도순 님의 협찬으로 1차(1988년도) 및 2차(1992년도) 2회에 걸쳐 제작하여 25회까지 전국 명단, 주소, 전화번호를 파악하여 붉은 동백꽃 표지의《동창회 수첩》을 엮었다.

이정연 회장님과는 명콤비였고 본받을 점이 많아 동행하는 게 행복했다. 통영 최초로 여성등대로타리를 창설, 초대회장으로 봉사에 앞장섰고, 통영여자중고등학교 동창회장을 맡아 장학회 발전을 위해 몸과 물질로 헌신해 오셨다.

이제 그곳에 힘을 보태드리고 싶다. 통영 전통누비의 고전적 아름다움에 현대적 감각을 가미시켜 새로운 작품으로 탄생한 유림마크는 매스컴에도 알려졌고, 누구나 입고 싶은 옷으로 탄생했다.

김귀자 회계, 이정연 회장님, 총무인 필자

조옥순 권사님과의 37년째 아름다운 동행은 감동이다. 80세가 넘어서도 두 분이 모든 것을 함께하는 행복한 나날들. 그 큰 원동력은 영선, 정선, 인선 3선녀 세 딸의 새로운 어머니 모시기다.

맹모 정신의 어머니 때문에 대학교수가 된 첫째딸, ECC학원 전국최우수원장으로 비욘드 교재를 개발하여 전국적

동창회 총회 모습

으로 인기리에 열강 중인 둘째딸은 평생 처음 찾은 큰 적금을 불우아동을 위해 교육청에 쾌척하였다. 어머니의 모임을 만나기만 하면 밥값·찻값을 지불한 후 사라지는 것으로 유명하다. 종로학원을 운영하는 막내딸과 사업가 아들은 큰 버팀목으로 인생의 본보기다.

설·추석이 되면 음식을 마련하여 아들, 딸, 그 외 여덟 집에 나누어 주어 즐거운 명절을 맞게 해주신다. 그 기쁨과 행복이 얼마나 클까? 나는 누구와 마지막을 함께할 수 있을까? 회장님의 맹모 정신과 동행이 새삼 부러워진다.

구문근 의사 장로님 부부

약 50년 전에 통영적십자병원에 통영 최초로 이비인후과 전문의 구문근 선생님이 오셨다.

약 2년 후 구이비인후과를 개업하셨다. 그때 한창 유행이던 디프테리아 예방주사, DPT 접종을 모르는 부모들이 많았다. 약 130명의 위급한 아이들을 적십자병원 수술실을 빌려 살려냈다. 부인 최승희 권사님은 불안해 하는 어머니들을 기도로 안심시켜 주었다. 구 선생님을 만나지 못해 아이를 잃은 부모님들은 후일 땅을 치며 원통해 하였다.

이제는 목에 동전이 걸려도 숨을 헐떡이며 마산, 부산으로 택시를 타고 달려가지 않아도 된다. 일반 병원에서 수술 중 구

원을 요청하는 경우도 있었는데, 구 선생님은 진료 중이라도 달려가 위급한 환자를 구해냈다.

남편은 축농증수술, 아들딸은 편도선수술, 여동생은 고막수술을 무료로 받았다. 아프면 무조건 달려갈 수 있는 곳이 있으니 감사할 뿐이다.

50년이 넘는 섬마을 의료봉사, 로타리회원 봉사, 기드온성경전하기와 전도활동을 함께한 산 역사이다.

아내인 최승희 권사님은 선교 활동으로 남아공(하라리교회), 필리핀(깔라오교회, 라굼6교회, 리완교회, 빌로암교회), 태국(치앙마이충무교회, 치

1982년 크리스마스 때
구문근, 박봉인, 장유수, 장상명 장로님 가족모임

88고속도로 건설 때 감독관 유승화 부부와 함께
구문근, 박봉인, 장상명 장로 부부(함양)

앙다우충무교회, 치앙라이충무교회, 빠뜨옹기숙사), 베트남(탄안교회, 바떠교회, 탄호
아교회), 말레이시아(아라교회), 미얀마(양신교회)에 교회를 세우는 데
헌신적으로 참여하여 선교의 여왕으로 불러드리고 싶다. 앞
으로 해외선교는 충무교회의 큰 과제이다.

장로님의 가장 큰 업적은 《충무교회 100년사》를 펴낸 일
이다. 진료 중에도 3년간에 걸친 현지답사와 금전투자 등으로
심혈을 기울여 전국에서 으뜸가는 100년사를 탄생시켰다.

2019년 교통사고 때 두 분은 기도로 우리를 일으켜 세워
주셨다. 2020년 코로나 19로 당분한 휴진하시면서 목회자,
기독교인, 어려운 분에게 해주시던 무료진료는 중지하시게

되었다. 너무 아쉽고 그 동안 감사드리지 못한 것이 미안할 뿐이다. 아프면 편하게 달려갈 곳이 없어져 아쉽다.

아들, 며느리, 사위는 의사로, 검사장인 작은 사위까지 두셨지만 항상 겸손하고 바른 길을 가도록 도와주고 기도하실 뿐이다. 두 분 언제까지나 건강하셔서 함께하실 수 있기를….

믿음 안에서 만난 네 가정. 사진 속에 모두 모였다.

아이들도 모두 주일학교에서 함께하는 아름다운 모습을 교인들이 모두 부러워하였다. 어른, 아이 모두가 하나가 되어 신앙생활을 함에 너무나 즐겁고 행복했었다.

1982년 크리스마스 날 사진 속 네 가정, 식구 21명이 전원 구 장로님 댁에 모여서 아이들 13명은 작은 학예회를 기획해 어른들을 즐겁게 했는데, 그때 구 장로님 막내 구현정은 지휘자를 안 시켜준다고 토라졌는데 후일 검사의 아내가 되었다.

이제 그리운 그 옛시절로 되돌아갈 수도 없는데 그때를 그리며 추억에 잠긴다. 지금도 분열된 교회에서 원로 장로님으로 떠날 수 없어 기도중인 박봉인 장로님 부부.

가장 좋은 길은 어떤 길일까? 모두를 내려놓을 때 비로소 편안함이 온다. 그 말을 전하고 싶은 게 우리 부부의 마음이다.

정석훈 형님 선생님

2019년 교통사고 때 가족과 함께 중환자실 밖에서 유일하게 지켜주신 큰아들같은 선생님.

아들·딸은 참으로 행운아들이다. 좋은 선생님들을 만났고, 오랫동안 함께하면서 변함이 없다. 형님과 보호자 역할까지 해주신 선생님을 큰아들처럼 안겨주었다.

정석훈 선생님은 아들이 통영동중 3학년 때 담임이셨고, 사모님인 김혜숙 선생님은 1학년 담임을 하신 부부교사로 특별한 인연이다. 아들이 교수가 되도록 추천하신 분들에게도 아버지 역할을 대신해 주셨다. 선생님의 외동딸 경한이가 서울 학원에 다닐 때 걱정하시는 선생님 부부를 위해 밤중에 함께와 아파트에 있도록 서로 배려하는 각별한 사이다.

통영동중 교장 정년퇴직 후에도 만년 젊은 형이고 담임으로 제자들의 어려움에 앞장서 헌신적으로 도와주시는 선생님은 아들과는 천생연분이다.

동중 2학년 심주일 담임 선생님은 공부를 그만해도 된다며 즐거운 놀이로 머리를 식혀주었는데, 이 두 분 선생님께는 빚이 있다. 아들이 고3 때 큰 어려움을 당하여 온 가족이 힘들었을 때 잘 이끌어주셔서 오늘이 있게 한 고마움에 대한 가슴속 빚이 있다.

교통사고 때 경황이 없던 아들·딸 부부를 따뜻하게 보살

통영동중 졸업식 때 정석훈 선생님과 우리 가족

펴주셨고, 서울로 떠나버린 후에도 병원생활로 손길이 미치지 못하는 곳, 교통의 불편까지도 헤아려 어려움 없도록 매일 병원에 들러 우리 부부를 보살펴 주었다.

아들은 세대차이가 심하고 완고한 편인 부모님, 또 혼자여서 얼마나 외로웠을까? 이제 놓아버리려 한다. 든든한 형님 보호자가 지켜주고 있으니까. 우리에게는 또 하나의 믿음직스러운 버팀목이다.

작은 선물을 보내드리면 큰 선물로 되돌려 주셔서 고민하게 하시는 선생님! 지난 어느 해 겨울 한산섬 식당에서 네 사람모임 중 우연히 만났는데, 우리 팀 식사비를 지불하셨다. 언제나 앞서 가셔서 미안하고 고맙기만 하다. 속도를 내어야 될 것같다. 지난 22년 1월 18일 사진을 발송하지 못해 고민하던 중 어쩌면 그 시간에 나타나셔서 모든 것을 해결해 주셨다. 감사합니다.

정석훈 형님 선생님과 함께, 아들 장지훈

딸 셋의 행복

지혜롭고 앞서가는 딸은 든든한 언니와 따뜻한 동생을 내 곁에 남겨두고 서울로 떠나갔다.

유치원 원장인 동생 미화의 어린아이들을 보살피는 손길은 우리에게 항상 닿아 있다. 여고 시절 불의를 보지 못하는 두 사람의 성격 탓에 단짝이 되었다. 대학 입시를 포기하는 게 너무 안타까워 전문대학 진학으로 계단을 밟아가자고 설득하는 우리들의 둘째딸이 되었다. 어머니가 돌아가신 후 그 자리를 조금이라도 채워주리라 미화를 볼 때마다 언제나 다짐했다.

병원 가는 일이며 제철과일, 진주 추어탕, 손수 만든 김밥을 남편은 산양면 텃밭에서 손수 키운 상추, 풋고추, 가지, 여주,

참외, 소풍, 열무, 토마토와 배추로 손수 담근 김치까지 지나는 길목이라 자주 들려주는 그 마음 씀씀이가 고마울 뿐이다.

공들여 마련한 산양면 산유골수목공원 옆 편백나무집은 가까운 사람들에게 힐링장소를 제공하여, 지인, 동창생, 해병대 소위인 아들 재현의 친구들, 부대원, 서울성모병원 임상영양사인 딸 은빈이의 친구들···. 통영에 머물고 싶은 가까운 사람들을 위해 편하게 이용하게 한다.

텃밭과 집은 110평 정도이지만 집앞에 펼쳐진 5만 7천평 수목공원과 희귀식물들은 마음씨 착한 김호권, 김미화 두 부부에게 넝쿨째 굴러온 앞마당이다.

교통사고 때 밤중에 이곳 산양면에서 병원으로 달려와 보호자 역할까지 한 것을 의식불명 상태라 전혀 모르고 있었다는 것이 너무나 미안했고 고맙다. 아찔한 순간···.

언니는 경북사대 영문과를 졸업하고 통영여고에 첫 부임하신 박순옥 선생님이다.

영어시간에 사전 지참 여부를 조사했는데, 사전이 없어 꾸중들은 딸의 영작이 최우수 작품으로 선정되어 두 번 놀라셨고 그 뒤에 사전을 빌려간 친구 대신 꾸중듣고 함구한 사실에 세 번 놀라신 선생님과 36년째 언니가 되었다.

숙명여대 재학중 마산상고로 전근가신 선생님을 만나러 마산까지 내려왔다 바로 서울로 갔다는 이야기에 잠깐 서운했지만 그런 언니가 있어 외롭지 않은 것을 생각하면 참으로 다행스럽다. 부부가 정년퇴임 후 예천에서 제2의 삶으로 조그만 농장일을 시작하여 통영을 오가는데, 자주 소통하고 예천 농장에 부부가 다녀오기도 하였고, 병원에 갈 일이 생기면 좋은 병원으로 안내해주는 등 잘 지내는 모습이 너무도 보기 좋다.

통영에 오면 꼭 만나야하는 언니, 동생, 이제 혼자가 아니고 세 딸은 오래오래 함께할 것을 굳게 믿는다.

박순옥 선생님, 언니가 되어 주셔서 고맙습니다. 미화야, 딸이 되어주어 고맙다.

4월 초면 붉게 핀 진달래. 통영의 진달래 꽃전은 특이하다. 타 지방은 찹쌀로 빚은 전 위에 진달래꽃 하나를 펴얹어 굽는다. 통영에서는 찹쌀을 조금 넣고 꽃잎을 많이 넣은 후 힘껏 주물러 빚는다. 그리고는 팬에 참기름을 두르고 구워낸 후 설탕, 꿀 등을 바른다. 깊고 특이한 맛에 암에도 좋다는 이야기가 있다. 미화 부부가 맛있게 먹어 고마운데, 올 때마다 그냥 오지 않아 안 줄 수도 없고 그냥 그렇다.

14회 후배들과의 친선경기

어느날 앨범을 정리하다 통영여고 10회인 우리들과 14회 후배들이 다정하게 찍은 약 40년 전의 선명한 모습이 담긴 사진을 발견하였다.

10회와 14회의 매달 모임은 4일 수향초밥이다. 우연한 인연일까? 어느새 우리는 다정한 선후배, 달마다 만난다.

1982년 4월 4일 모임 후 후배 모범약국 김순희, 삼보부산 오홍자, 무궁화상회 이계선, 수정관 정혜숙, 보건소 전정숙, 신복희, 유인호 등이 우리 방으로 건너와 대뜸 이야기한다.

"선배님들과 운동시합하면 어떨까요?"

"그래! 찬성이다."

우리팀 출전 선수는 김길자, 황옥지, 김죽자, 정도자, 박연자, 정옥자, 노중자, 김순자, 이경자, 박행자, 이혜자 등 11명이다.

두 팀이 모여 의논한 결과 종목은 배구와 축구, 날짜는 다음 일요일 오후 2시, 장소는 충렬 교정, 심판으로는 충렬교 김대수 체육주임교사로 정했다.

복장은 10회는 흰 바지와 빨간 상의, 14회는 청바지와 빨간 상의로 통일하기로 했다.

여황산 기슭 벚꽃이 만발한 4월의 충렬 교정에 10회의 남편 응원단으로 윤종원, 허만기, 강옥득 씨와 아들 강현아까지 연락하여 모였다.

첫 번째로 배구경기가 시작되었다. 어느새 명정골 사람들이 모여들기 시작하여 TV보다 재미있는 광경이라며 응원전이 시작되었다. 14회들은 여고 때 배구선수였던 이정화가 며칠 동안 토스 연습을 시켰다는 소문이 들려왔다. 10회인 우리 팀은 직원체육 여자배구팀 주장이었던 내가 무조건 서브 연습만 시켰다. 이경자는 서브를 10개 계속 성공시켜 2:0으로 승리했다. 서브 작전이 주효했던 것이다. 남편들은 놀라기도 하고 신나했다.

14회 후배들과 함께, 가운데는 심판을 맡은 김대수 선생님

10회 남편들과 함께
앞줄 왼쪽부터 허만기, 윤종원, 강옥득(강현아)

두 번째로 축구 경기가 열렸다. 전반 15분, 휴식 5분, 후반 15분. 배구공을 이용해서 경기를 진행했는데, 배불뚝이 후배가 지키는 골문 옆으로 살짝 넣어 1:0으로 승리, 후배들은 선배 남편들의 응원 때문이라며 오지 않은 남편들을 원망했다.

그 뒤로 '숫골인 언니'라는 별명이 내게 붙었다. 후배들은 만날 때마다 수영, 노래 부르기, 배구 한 번 더 하자고 졸라댔지만, 언제나 무엇이든 오케이라는 우리 기상에 눌렸는지 도전장을 내지는 못했다.

응원 온 남편들과 찍은 사진을 보면서 다시는 돌아올 수 없는 그 시절을 추억한다.

2022년 4월 14일 교정한 원고를 대경북스에 부치고 우체국을 나와 책보자기를 사러 중앙시장에 들렀다. 마침 무궁화상회에 14회 후배 이계선이가 있었다. 옛날 충렬에서 배구, 축구도 함께했고, 테니스 팀과 캐나다 여행도 함께한 인연이라 반가웠다. 레몬차도 대접받고, 책이 나오면 14회 통영 친구들에게 주겠다고 약속했다. 마침 14회들이 오해하고 있었던 배구 부정 선수 이야기가 나와 지난 일이지만 그것은 잘못 알고 있는 것이며 언니들의 서브 맹연습 작전 때문이었다는 사실을 계모임날에 모두에게 전해달라고 부탁했다.

반갑다! 충렬 4인방
(강숙자, 최영옥, 강원순)

내 생애 최고의 하이라이트였던 충렬 시절. 강숙자, 최영옥, 강원순 우리 넷은 친구이자 자매였다.

강숙자 선생님은 한 해 후배로 아들과 조카의 담임이었으며, 미륵산기슭에 그림 같은 집을 지었다.

화가이신 남편 김안영 선생님은 새우·바닷가재 그림과 목련 병풍을 탄생시켰다. 2018년 남망산 갤러리 전시회에서 〈통영항구 멸치 만선〉 그림을 구입하여 사위 병원에 선물했다.

최영옥 선생님은 6회 후배로 이웃이어서 함께 출근했다. 어머니는 96세의 총명여사로 손자들을 키워주신 은혜를 이제 되돌려받고 계신다.

강원순 선생님은 8회 후배로, 우리 두 집의 어머니들은 한 실마을에서 같이 자랐고 갑계모임도 하셨다. 강 선생님의 부모님은 중앙시장에서 상점일을 마친 후 길목에 있는 우리 집에 들려서 아버지와 함께 탁주를 드시고 가신다.

강원순 선생님은 충렬에서 키 크고 멋진 반바지 전위센터 배구선수였던 제진호 선생님과 결혼 행복한 가정을 이루었다. 남편이 신장 이식을 받아야 할 상황에서 자녀들이 기증하려는 것을 막고 스스로 나섰다. 두 사람의 키 차이가 너무 나 의문을 제기하는 의사에게 "신장 사이즈는 비슷하지 않을까요?" 억지를 부렸는데, 검사 결과 다행으로 일치하여 수술은 대성공이었다. 건강하게 정년을 마치며 강원순 선생님은 박근혜 대통령 표장을, 제진호 교장 선생님은 이명박 대통령 표창을 받았다. 우리 4인방 부부는 함께 2015년 3월 21일~26일까지 중국의 곤명, 석림, 여강, 대리 여행을 즐겁게 무사히 다녀왔다.

특히 감사하는 것은 4인방 모두에게 명품 아들·딸들이 있다는 것이다.

강숙자 선생님의 장남인 김훈 제중한의원 원장님은 화가인 아버지와 딸을 위해 도산면에 작업실을 갖춘 멋진 새집을 지어드렸다. 그 옛날 만지도에서 만삭의 몸으로 쪽배에서 객선으로 옮겨타서 통영병원에 도착하여 분만했던 주인공인데, 섬에서 건강하게 자라 후일 한의대를 졸업 명품 아들이 되었다.

최영옥 선생님과 유안석 씨 부부는 딸과 사위를 적극적으로 응원 미국으로 유학을 보냈다. 남편을 훌륭하게 뒷바라지하여 우리나라 최고의 치과의사를 만든 명품 딸 유승희가 있다.

강원순 선생님의 딸인 제성림 선생님은 서울대병원에서 아버지가 신장이식수술을 받을 때 1,200만 원이라는 큰 돈으로 호텔을 1개월 예약하여 어머니가 편하게 병원에 다닐 수 있도록 배려해준 명품 딸이다.

우리집 아들 장지훈이는 실력 하나로 대학교수가 되어 장애인올림픽대회의 임원으로 오랜 기간 봉사하였으며, 영국의 런던 · 캐나다 밴쿠버 등에서 개최된 패럴림픽과 타이페이의 데플림픽에 참가하였다. SBS 방송작가로 〈LA아리랑〉으로 이름을 알린 딸 지영이도 명품이 아닐까?

우리 4인방 모두 명품 어머니로 축복 받았다.

2021년 6월 25일, 4인방은 미수동 바닷가 〈라인도이치〉 레스토랑에 모였다. 바로 건너편 그 옛날 피난갔던 국치마을 숲 위에 학들이 바로 앞에서 날고 있었다.

최영옥 선생님은 6.25 이후의 폭풍같은 이야기를 풀어 놓

앉다. 5살 때 양산지서에 근무하시던 아버지의 삶과 미군 트럭과 짚차에서 던져주던 초콜릿을 받기 위해 "헬로! 헬로!" 외치며 뛰었던 이야기. 아버지가 총격의 처참함에 경찰을 그만두시고 거제에 사는 형님을 찾아갈 때, 가덕도 앞바다에서 멀미와 배고픔, 그리고 통영의 원흥여관을 기억했다. 겨우 통영에 안착했으나 태풍 사라호가 바닷가의 집을 송두리째 삼켜버린 상태에서 가까스로 이웃이 외침과 함께 민학길이가 던져준 밧줄로 간신히 탈출했다고 한다. 이것이 오늘까지의 역사이다.

오늘 4인방은 귀인 두 분을 만났다. 첫째 귀인은 성심병원 이선자 사모님. 20여 년 전 장남이 고신의대에 진학할 때 교인으로 등록시켜 진학을 도와준 것을 잊지 않고 오늘 우리 4인방의 식대를 지불해 주셨다.

두 번째 귀인은 정치 초년생 선기화 씨. 딸의 동기생으로 친구처럼 지냈던 것을 기억한다. 선거 포스터에서 본 탓인지 낯익은 느낌인데, 우리 테이블로 건너와 인사를 했다. 앞으로 통영에서 귀하게 쓰일 인물로 기대해 본다.

오늘은 참으로 특별한 날이었다. 6.25날에 6.25 이야기도 나누었고, 귀인 두 분도 만난 기분 좋은 날이었다.

이제 우리 4인방에게는 명품 할머니가 되고 싶은 꿈이 남아 있다. 그리고 충렬 시절 기다리던 아이들의 눈동자를 잊지 말자고 다짐한다. 꿈이 하나 더 있다면 4인방과 여동생까지 합하여 어노소사이더 회원이 되고 싶은 일이다.

최영옥 선생님은 거의 매일 아침 김정자 권사님과 함께 카톡으로 좋은 사진과 동영상을 보내주셔서 내 자신을 뒤돌아보게 하고, 현재를 살피는 지혜와 아름다운 노래에 감사한다.

22년 9월 28일 출간 축하연 후 강원순의 집으로 이동했는데, 아파트 전체가 손수 그린 그림, 인형, 나무로 예술촌 낙원을 이루었다. 환경이 미리 주어졌더라면 화가로 성공했을 텐데…. 마음껏 꿈을 펼 수 없었던 과거의 아쉬움이 아닐까?

봄소풍 때 충렬 4인방과 박옥자, 김정자 선생님

57년만에 만난 친구 김생

010-56XX-10XX 번호를 누르고 가슴도 눌렀다.

"여보세요!"하는 남자의 목소리에

"김생 씨 핸드폰 아닙니까?"

하고 물었다.

"맞습니다. 누구십니까?"

"통영 친구 동창입니다."

"샤워 중인데 조금만 기다려 주십시오."

남편 김해운 씨였다.

"생이냐? 순자다."

57년만의 통화.

"어디에 있노?"

"통영이다."

"뭐? 통영?"

"3일 전에 서울서 이사왔다."

어이가 없고 너무 놀랐다. 지난 2020년 5월 4일 전화번호를 알았으나 늦어버린 것은 내 탓이다.

비치호텔에 묵으면서 서호시장이 가깝고 전망이 좋은 집을 구하러 다니다가 1개월 전에 죽림아파트를 사버렸다고 한다.

우리 아파트에 전세도 매물도 있었는데, 함께 살게 되었다면 얼마나 좋았을까!

19살 때 화양초등학교에서 함께 근무할 때 학교 옆 바닷가 돼지우리와 맞붙은 뒷방에서 함께 자취를 했다. 사립문 옆에서 군불을 때고 밥도 지었다.

K총각 선생님과의 연애편지 소동, 연명 가정방문을 마치고 오는 달밤에 합동작전으로 KO시켰다. 우리 두 사람 모두에게 편지 보낸 것에 대한 답이었다. 그후 K선생님은 이웃학교로 전근가셨고, 그곳에서 예쁘고 똑똑한 후배 여선생님과 결혼하였다. 후일 대학교수가 되어 서울로 가셨다고 한다.

친구는 50년 살던 서울 아파트가 갑자기 팔려 딸집에서 6개월 지내다가 통영 앞바다가 그리워 고향으로 왔다고.

57년만에 남편과 함께 화양 3인방이 만났다.

2020년 10월 12일 케네디홀에서 아름다운 통영항을 바라보며, 비후까스를 점심으로 먹고 차를 마신 후 산양초등학교에 도착했다. 화양초등학교, 미남초등학교, 연명초등학교가 학생

화양초등학교 시절 김영자, 조희순 선생님, 생이와 남망산 동상 옆에서

수 감소로 폐교되어 산양초등학교로 통합되었다.

통학버스가 폐교된 학교 학생들을 실어나르고, 산양초등학교는 체육관과 급식소가 신축되어 60년 전 남편이 근무할 때보다 현대적인 큰 학교로 변했다.

산양중학교를 지나 산양스포츠파크에 도착했다. 세월은 논밭을 스포츠파크로 바꾸어 동네 자체가 변해버렸다. 고개 넘어 박경리기념관을 관람하고 바다가 바라보이는 묘소에도 들렀다. 이 두 곳의 터를 제공하여 위대한 작가가 편히 잠들 수 있도록 하고 기념관까지 건립케 한 양지농원에 감사드린다.

박경리 선생님과 생이 어머니는 소꿉친구였다고 한다. 두 분은 명정골에서 나고 자란 자랑스런 통영의 딸들이었구나!

화양초등학교에 도착했다. 교문 앞에 〈거북선문화재연구소〉(개교 1946. 11. 1, 폐교 2007. 3. 1)라고 적혀 있다.

약 61년 역사를 지닌 곳. 내가 첫 정열을 바친 학교가 없어졌다. 서운했다. 학생들이 줄어드니 도리가 없구나. 연구소 내 거북선과 역사실을 둘러보고 이렇게라도 활용되어 다행인가 싶었다. 달아공원, 수산과학연구소, ES리조트를 둘러 장날 구경을 했다. 옥수수와 사과도 나누었다. 60년 전 추억에 행복한 하루였다. 84세의 나이로 운전해 준 남편이 감사하다.

다음은 네 사람이 만나 크라우드 씨(남편 해운씨의 영어 애칭)의 고향 거제 학산과 둔덕에 다녀오자고 약속했다.

"생아! 사랑한다."

"통영에 살게 된 것 고맙다. 건강해라."

돌아온 통영이 어머니 고향이라는 것을 뒤늦게 깨달았다는 후회섞인 소리를 듣고 긴 세월을 떠나 살아온 탓이 아닐까! 다시 떠날까 마음 쓰인다.

2022년 9월 5일 신협에서 우연히 생이를 만났다. 며칠전 남편이 갑자기 돌아가셔서 장례 후 딸, 사위와 함께 금융관계를 처리하러 왔다고 한다. 갑자기 한 대 맞고 멍한 느낌이었다. 함께 점심이라도 하자고 하니 바쁘다며 떠나버렸다. 아! 아무 말도 못하고 사위 차만 쳐다보았다.

9월 21일에 전화가 왔다. 딸이 내 책을 읽은 후 "그런 친구가 있는데 왜 가만히 있느냐?"고 해서 전화했다고 한다. 장례 치른 이야기만 듣고 있었다. 월남 전 참전 용사로 대전 국립묘지에 안장된 것은 고귀한 희생에 대한 너무나 고마운 국가의 보답과 고마움, 배려이다. 이런 혜택을 국민에게 돌려줄 만큼 발전된 대한민국에 감사한다.

권봉선과 김둘례 고마웠다

남동생 종천, 종억, 봉선, 꼬마 지훈, 필자, 남편

잊혀지지도 않고 잊어서도 안 되는 고마운 두 얼굴이 있다. 두 아이를 키워주고 살림을 맡아 주었던 봉선이와 둘례가 그 주인공이다.

봉선이는 거제 학산에서 거제대교가 생기기 전 배편으로 와서 약 10년간 함께했다. 두룡초등학교 때는 집이 가까워 따뜻한 점심을 준비해서 둘째를 유모차에 태우고 어머니 젖을 먹게 했고, 맛있는 찰밥과 여유로운 반찬으로 같은 학년 선생님들과 즐거운 식사 시간을 갖게 해주었다. 봉선이가 우리 집에 오래 있게 된 데에는 그 어머니의 고마움이 있었다. 장날에 통영장에 자주 들르셨는데 딸에게 들린 어느날 딸이 집으로 가고 싶다고 했을 때 몰래 학교에 찾아오셔서 내게 좀 달래주라고 부탁하셨다. 그 마음씀씀이가 고마워서 봉선이에게 언니처럼 다가갔기 때문에 10년을 함께할 수 있지 않았나 생각한다.

봉선이의 여동생을 봉수골 할머니 집에 소개해 주었는데, 13년을 함께했다. 고마움을 잊지 않았다. 사위가 통영에서 개원했을 때 조금이라도 도움을 주고 싶어 최승희 권사님의 차로 학산까지 찾아갔다. 아들 따라 서울로 떠났다는 동네 사람의 이야기를 듣고 뒤돌아서며 미리 찾아보지 못한 게 후회스러웠다.

둘례는 죽림에서 봉선이가 결혼한 후에 와서 5년 넘게 함께했다. 웃는 인상, 건강한 체격, 성실함이 너무 고마웠다. 우리 집에서 약혼식까지 해주었는데, 결혼한 지 5년 만에 갑자기 하늘나라로 떠났다. 명절 때에는 메이커가 없던 때라 학부형이었던 통영 제일의 양장점 노블에서 맞춤옷을 해주었더니 고향 가서 자랑했다고 한다. 빨래를 정리할 때면 언니는 기워입고 내게는 새옷만 준다며 고마워했다.

다른 집보다 조금이라도 더 주었던 월급과 인간적으로 대해준 것이 우리 집에서 오랫동안 수고해 주었던 계기가 되었고, 덕분에 우리 가정도 편안했다. 시대가 지나 이제는 그런 아이들도 있을 수 없고, 편리한 기기들이 그들을 대신하고 있다.

거제 둔덕 여동생 집에 갈 때마다 지나가는 학산마을. 봉선이의 처녀 때 아름다운 얼굴이 언제나 스쳐간다. 인연은 아름다운 것이다.

봉선 어머니의 따뜻했던 그 배려의 마음씨도 함께 떠오른다. 좀더 잘해드리지 못한 것이 마음 쓰인다.

아파트로 오기 전에는 아침 서호시장에서 간혹 죽림에서 장보러 오신 둘례 어머니를 만났다. 눈물을 글썽이며 내 손을 잡으시고, 공을 잊지 못한다며 울먹였다. 잘해준 것도 없는데 건강하던 둘례가 왜 그렇게 떠나버렸는지 아무 말도 할 수 없었다. 오늘 이 순간 봉선이와 둘례의 처녀적 모습을 생각하며 둘례 어머니의 고마운 마음을 잊지 않으려 한다.

남편과의 슬픈 이별들

2020년 6월 18일 통영시추모공원. 마지막 일생의 이별을 고하는 곳이다.

정옥자 동창의 남편 양우석 씨가 떠나는 순간이다. 평생 처음이자 마지막으로 그 분께 잔을 올렸다. 고운 인상만큼 온화하고 따뜻한 분으로 좋은 남편이자 아버지였다.

이제 친구들이 남편을 먼저 떠나보내기 시작했다. 8월 3일은 49재 막잿날이다. 친구들이 미륵산 소재 용화사 큰절에 모였다. 휠체어를 탄 채로 남편을 보내드리려고 기도하는 여인, 그동안 다친 몸 때문에 남편 뒷바라지를 못하고 떠나보내게 되어 가슴 아파하는 친구 정옥자. 마지막 배웅을 할 수 있는 게 그래도 감사하다.

먼저 떠나는 사람이 행복하겠다. 모든 걸 맡겨두고 사랑하는 사람의 배웅까지 받으며 떠나니까. 그 시간에도 우리는 밥과 떡, 식혜도 먹었다. 먹지 않을 수 없고, 어떤 경우에도 먹어야 하는 미안함이 있다.

서울서 이사온 친구에게서 졸업한 후로는 만나지 못했던 배인자의 슬프고 아름다운 이야기를 전해 들었다.

어느날 아침 일어나니 곁에 주무시던 남편이 떠나버렸다고 한다. 가정을 소중히 여기시던 페스탈로치 황봉준 교장 선생님. 별명이 웃음씨와 변호사인 친구 인자와는 정반대 성격의 만남이었다. 평생 남편 사랑을 마음껏 받으면서 자랑스런 삶을 살았다. 서울대학교 교수, 카이스트 교수인 두 아들도 한마디 없이 떠나버린 아버지 때문에 3년 동안 우시기만 하는 어머니를 차마 말리지 못했다는 후문이다.

인자야! 애들을 위해 이제 멈추자. 두 사람 중 누가 먼저 떠날지는 아무도 모르고 알 수도 없다. 그러나 마음이 여린 여자들은 남편이 먼저 떠날지도 모른다고 지레 겁먹고 걱정하고 이별을 무서워하고 있다.

2022년 1월 25일 오후 7시 30분, 유정자 동창으로부터 남편이 돌아가셨다는 연락을 받았다. 코로나 19 때문에 동창생 중 둘만이 장례식장에 들렀다. 장기간 지병으로 고생하셨지만 떠나고 나니 가벼워질 줄 알았던 몸이 더 무거워졌단다. 이 고비를 잘 넘겨야 한다고 위로해주면서 신앙의 힘이 얼마나 중요한지를 깨닫게 된다. 모든 것은 신앙으로 이겨나가야 한다. 신앙을 꼭 갖도록 하자.

언젠가는 내게도 다가올 일이다. 생각하면 괜히 우울해진다. 지난일을 되돌아보면 잘한 일보다 잘못한 일, 후회스러운 일들이 더 가슴에 남아 있는 것 같다. 서로 돕고 이해하고 섬기며 사랑하며, 살아갈 날이 살아온 날보다 조금밖에 남지 않은 우리들이 헤어진 후에도 그리운 마음으로 살아갈 수 있도록 최선의 노력을 다해야겠다.

남편에게도 항상 여당 속의 야당이 되어야 한다는 자세로 살아왔다고 생각한다. 그것이 잘한 일이었을까 하고 요즈음 되돌아 보게 된다. 내 딴에는 바르게 살기 위해 한 일이라 생각했지만 서운할 때도 있었고 그로 인한 다툼도 있었던 것 같다. 이제는 모든 것에 찬성하고 편안히 해드리고 싶다. 나이듦에 따라 건강도 차츰 안좋아진다. 서로 살피고 보듬고 아끼며, 여당·야당 마주 잡고 함께 가야할 때가 된 것 같다.

윤산부인과의 조궁자 사모님

좋은 사람들의 모임에 적극적으로 추천하셔서 함께할 수 있도록 해 주신 조궁자 여사님.

1989년 6월 15일. 윤산부인과에서 진료를 받았다. 진료 결과가 의심스럽고 중요해서 친구 이경자에게 연락하여 남편을 몰래 만나게 했다.

오후 3시쯤 남편과 함께 미래사 잔디밭으로 산책을 했다. 남편은 조용히 내게 손을 내밀었다.

"내일 서울 병원으로 가자."

이상한 느낌과 함께 앞이 캄캄해지고 가슴이 답답해졌다.

1989년 7월 1일부터 의료보험이 시작되는 데도 모두가 서

둘러서 약 1주일 전인 6월 22일 서울 중앙대학교 부속 필동병원에서 박형무 교수님께 4시간에 걸친 자궁절제 대수술을 받았다.

수술하며 떼어낸 것을 검사한 결과 다행이 고비를 잘 넘겼다고 한다. 너무도 감사하다. 조궁자 사모님의 대처 때문이다. 그래서 잊을 수가 없다.

출산하는 산모들을 위해 손수 첫 미역국을 끓여 어머니를 대신 느끼게 해준 그 따뜻한 내조에 산모들은 얼마나 고마워했던가!

통영 YWCA가 창설될 때 원경숙 권사님과 두 분이 적극적으로 추천하셔서 초대 회장의 영광을 안게 되었다. 이제 서울로 떠나셨지만, 때때로 그리워질 때가 있다.

아드님과 두 사위는 정형외과와 내과 전문의다. 큰딸은 이화여대를 졸업했는데 남편을 돕기 위해 물리치료학과에 진학하여 물리치료사 자격을 취득해서 함께하는 모습이 아름답다. 그렇게 힘든 길을 용감하게 선택한 것이 참으로 놀랍다. 어머님을 그대로 이어받은 딸의 모습이 아닐까. 기분좋게 마음대로 상상해 본다.

생선 '통영 대구' 이야기

12월의 통영과 거제 앞바다에는 대구가 나타난다. 생선이지만 비린내가 없고 담백해서 누구나 즐긴다. 회, 대구탕, 대구매운탕, 찜, 전으로도 인기다. 아가미로 젓갈을 만든 장지젓, 고니로 만든 고니젓, 알젓으로 끓인 알탕은 최고의 맛을 자랑한다.

겨울 대구를 만나면 언제나 떠오르는 추억이 있다. 아버지께서는 그렇게 대구를 좋아하셨는데, 겨울이면 처마밑에는 약대구 세 마리가 항상 걸려 있었다. 살아 있는 암대구의 아가미를 들어내고 그 속으로 굵은 소금 한 주먹을 넣어 매달아 놓기만 하면 봄이 될 즈음에 약대구가 된다.

약대구의 살은 뜯어서 반찬과 안주로 하고, 간이 배어서 적당히 굳은 약대구알은 술안주로, 또 우리들 도시락 반찬으로 쓰였다.

아버지께서는 70세 때 통영에서 장남이 근무하던 용인 자연농원 사택으로 이사를 가셨다. 택배도 교통편도 없던 때 동생이 삼성 거제조선으로 하루 출장을 온다는 연락이 왔다.

겨울 대구. 아버지 생각으로 아침시장에 나갔다. 대구 2마리를 가져오신 민짐 할머니뿐이었다. 1마리 가격이 33만 원, 집에 돌아와서 있는 돈을 모두 모으니 30만 원이었다. 1개월치 생활비와 시장볼 금액이었지만 아버지를 생각했다. 혹시나 다시 가보니 30분이 넘었는데도 대구는 팔리지 않고 그대로 있었다. 너무 비쌌던 것이다. 떼를 써서 30만 원에 1마리를 샀다.

며칠 후 어머니께서 전화를 주셨다.

"딸아! 앞으로는 절대로 비싼 대구 보내지 말아라. 너희 올케가 대구를 앞에 놓고 울었다."

그래도 아버지 어머니가 계셔서 서로 도와서 잘 드셨다고 고마워하였다.

어떤 아파트의 음식물 쓰레기통에는 바닷가에서 올라온 큰 생선들을 처음 만난 며느리가 엄두를 내지 못하고 냉장고도 없던 시절이라 버리는 경우도 허다했다고 전해졌다.

1월 15일부터 금어기가 시작된다. 중간 사이즈가 3~5만 원 정도로 누구나 사먹을 만한 가격이다. 약 30년 전 1마리 30만 원일 때에는 대구탕 1그릇에 5, 6만 원을 호가했다.

수향 동창회 모임에서 얼마나 먹고 싶었던지 두 사람이 1그 릇씩 시켜서 꿀맛처럼 먹었던 때가 있었다. 그것도 추억이다.

그동안 방류작업으로 겨울이면 누구나 쉽게 먹을 수 있게 되었고, 수족관이 생겨 살아 있는 대구를 볼 수 있게 되었다.

요즈음은 시장에서 손질을 해주어서 누구나가 요리할 수 있게 택배로 신속하게 겨울 별미를 만날 수 있게 되었다.

고향을 떠난 사람들은 겨울대구와 봄도다리쑥국을 생각하 면 향수에 젖을 것이다. 통영은 겨울이면 맛의 고장이 된다.

여동생이 서울에 살 때 거제에서 온 큰 대구를 정육점에 가 져가 수수료를 드리고 토막을 내라고 가르쳐 주었는데, 올케 는 시골 농원에 사니 근처에 정육점이 없어 미안했다.

대구를 앞에 놓고 울었다는 올케는 이제 통영 생선이 없어 서 요리하지 못하는 일류 요리사가 되었다.

60년 전 졸업앨범을 찾는
친구의 딸

2020년 10월 26일 오후 3시. 이정연 동창회장님의 전화를 받았다. 학교에서 어떤 여성분으로부터 "통여고 10회 졸업앨범을 구할 수 있느냐?"는 문의전화를 받았다며, 10회인 내게 연락을 주셨다. 그분은 10회 졸업생의 따님 정윤씨였다.

어머니께서 암수술을 앞두고 학교 때 마련하지 못했던 졸업앨범을 그리워하는 모습과 생이 끝날지도 모르는 두려움 앞에 떨고 있는 어머니를 위해 딸이 나선 것이었다.

010-82XX-05XX. 따님의 전화번호를 눌렀다.

"어머니 이름이 어떻게 되세요?"

"김삼일입니다."

앨범을 펼쳐놓던 찰나에 삼일이를 찾았다. 아! 기억난다. 삼일절 날 태어났다고 삼일이가 되었다는 옛이야기가 순간 떠올랐다.

"어머니 전화가 어떻게 돼요?"

"010-85XX-3998입니다."

부산이었다. 3의 2반 5번 키 큰 그룹인 삼일이는 키 작은 우리들과는 따로 놀았다. 우선 앨범 속 삼일이 주변의 친구 사진과 9명이 함께 찍은 그룹 사진을 휴대폰으로 찍어 딸과 삼일이에게 보냈다. 앨범이 필요하면 복사하면 된다고 안심시켰다. 딸 정윤 씨는 다음날 내가 보내 준 사진을 확대하여 액자로 만들어 어머니께 드렸다고 한다. 대단한 효심이다.

한동네에 살았다는 배인자를 찾아달라는 제2의 부탁이다. 인자가 전화를 받지 않아 고3 때 추억 이야기를 문자로 남겼는데, 10월 31일 전화가 왔다. 꼭 60년만이다. 길 가다가 넘어져 1개월 동안 입원했다고 한다. 스마트폰 금지령이었는데, 우연히 보다가 웃음씨 이야기를 보고 오랜만에 웃었단다.

삼일이는 부산 백병원에서 대수술을 무사히 성공적으로 끝냈다. 10회 동창생들에게 메시지를 보냈다.

"모두 건강하게 살자!"

제9부

남은 이야기

분당서 친구 찾으러
통영까지 오신 분

1989년 2월 28일 수요일 낮 12시 20분, 밤색 양복의 신사 한 분이 〈통수고 동창회 본부〉 간판을 보시고 우리 가게에 들어오셨다.

그분이 내민 37년 된 흑백사진 뒷면에는 '우리 고향 통영 해저터널을 지나 용화사에서 친구 윤홍'이라고 적혀 있었다. 통영수고를 졸업했다는 소문을 근거로 40년 전 친구를 찾아오셨다고 한다.

두 분은 강원도 고성에서 중학교를 함께 다닌 절친이었다. 6.25가 발발하자 윤홍이는 아버지와 함께 고향 남해로 떠난 게 마지막이었다. 성남에서 오신 김영배 씨는 국군포로로 거제 포로수용소에 있을 때 친구 윤홍이가 통영수고를 다녔다는 것을 수소문해서 알았다고 한다.

직업군인으로 1989년 2월 제대하자마자 모든 일을 제쳐놓고 새로운 일을 시작하기 전 일주일 여정으로 친구를 찾기로 하였다. 통영수대를 방문하여 32회 졸업생 김윤홍 씨의 하숙집 주소이던 항남동 XX번지를 알게 되었다고 한다. 그 주소를 들고 동사무소를 방문하여 문의하였더니 그 하숙집은 없어졌다고 한다. 경찰서를 방문하여 컴퓨터로 조회해도 나타나지 않았다고 한다.

남편도 통영수고 32회다. 하필 남편은 일이 생겨서 마산에 가고 친구들인 김건식 전무님, 변복만 동장님께 연락해보니 모두 모르겠다고 하셔서 TV의 이산가족 찾기를 권유했다.

앨범 생각이 떠올랐지만 남편은 가정 형편으로 앨범을 구입하지 못했다고 했다.

아! 그때 건너편 농협에 32회 이일성 씨가 보였다. 경찰관이었던 이일성 씨는 중앙시장 한복집 아주머니가 돌아가신 남편(32회)의 앨범을 보관하고 있다며 김영배 씨를 모시고 가셨다. 1시간 후에 나타난 김영배 씨가 내민 쪽지에는 '남해군 삼동면 미조리 91-2번지'라고 적혀 있었다.

순간 번개처럼 경남 전화번호부가 생각났다. '김윤홍 미조리 91-2 T. 63-15X3' 드디어 찾았다.

전화번호를 누르는 순간 내 손과 가슴이 떨려왔다. 이산가족 찾기를 진행하던 아나운서의 느낌이 아마 이렇지 않았을까?

"통영수고를 졸업하셨습니까?"

"네. 맞습니다."

바로 본인이었다. 전화기를 바꿔드렸다.

"윤홍아! 영배다."

영배 씨는 눈물을 글썽이며 반갑게 소리를 내질렀다.

윤홍 씨는 미조리에 와서 동네 이장집을 찾으라고 했다.

영배 씨는 급히 뛰어나갔다. 그래서 가신 줄만 알았는데 얼마 후 큰 케익을 가지고 다시 오셨다. 남해 친구분께 가져가시라고 했더니 화를 내신다. 친구찾기 합동작전에 수고한 하은숙 씨를 위하여 케익을 여는 순간 '돈 2만 원과 전화요금 부탁'이라는 메모가 나왔다. 돈은 절대로 받을 수 없는데 이미 떠나버리셨으니. 너무도 예의 바른 분이다.

밤 11시경 남해에 잘 도착했고, 3일 후 37년간의 긴 회포를 풀고 서울로 가신다는 전화를 남편이 받았다.

3월 14일 한 통의 편지가 배달되었다. 이 세상에서 자기가 보아온 여성 중 가장 친절하고 지혜로운 여성이었다고…. 과분한 칭찬이 부끄럽지만 하은숙 씨와 함께 최선을 다한 것은 기분좋은 일이었다.

여태까지도 궁금한 것은 현재 마을 이장이신 분을 경찰서 컴퓨터 조회로 찾을 수 없었다는 것이다.

6시간 여의 친구찾기가 성공한 것은 그분의 아름다운 우정을 어여삐 여긴 하나님께서 동창회 간판을 보게 하신 게 아닐까? 두 분은 얼마나 오랫동안 긴 우정을 나누고 계실까? 조그만 징검다리를 놓아드린 것 같아 기뻤다. 동창회 간판을 달게 한 것이 다행스럽다.

김영배 씨에게 책을 보내드리려고 옛날 편지를 찾았으나 보이지 않는다. 김윤홍 씨에게 전화를 걸어 연락처를 물었으나 치매로 투병중이라 알 길이 막혀버렸다.

국정 모니터 활동

1994년 1월 23일 한국갤럽조사연구소가 선정하는 국정모니터에 응모하였다.

제목 : 무상교과서를 50% 줄이자

1994년 1월 31일 모니터로 선정되었다.

1994년 국정여론 5월호에 응모작품이 실렸고, 2월부터는 정해진 과제와 또 자유과제로 의견을 제출할 수 있었다.

국정 모니터 제도는 국가정책, 행정시책 등에 관한 여러 가지 국민여론을 수렴하기 위하여 전국에서 1,000명의 모니터를 선출하여 제시한 과제와 자유과제를 제출하도록 하는 것이다. 그중에서 선정된 과제를 《국정 여론》에 수록하여 매월 발간하는데, 이는 민주행정 구현을 위해 한국갤럽조사연구소가 주관하여 실시하는 제도이다.

선정된 후 3년간 평소 느낀 점, 이사회에 대한 많은 생각들, 학군조절, 도보등교, 혼식, 교과서 무상공급 축소, 헌 교과서 물려주기, 과외문제, 국가예산 절약, 검소한 생활, 입시제도에 관한 개선점 등 많은 아이디어와 건의사항들을 아낌없이 실어보냈다. 그 외에도 동서식품의 '커피이야기(94. 9. 25)', 여성잡지의 '자기가 쓰는 자기 이야기(94. 3. 31, 200자 원고지 1,000매)' 등에 응모했다.

통영지방신문인 《한산신문》에서 회장 때 이야기를 자주 실을 수 있는 기회를 준 것에 감사드린다.

그때 교육관련 자료들을 제공해 주신 김상렬 선생님은 제 자신인 남편보다 저를 더 격려해 주고 자랑스러워하신 분이었다. 교사시절 장학사였기에 누구보다 잘 알고 인정해 주신 것을 잊을 수 없다. 안타깝게 고인이 되셨다. 살아 계셨다면 이 책을 보시고 누구보다도 기뻐하셨을 텐데.

여러 회장 이야기
(어머니회, 주부교실, YWCA)

　1980년도부터 충렬초등학교 어머니회 회장과 충무시 주부
교실 회장을 함께 맡게 되었다. 봄에는 전국연수회에 참석한
후 시내 초등학교 어머니 회원들에게 전달교육을 실시하였고,
가을에는 도에서 주관하는 바자회에 참석하여 그 수익금으로
고아원 방문을 비롯한 봉사활동을 하였다.

　그후 통영시 초대 YWCA 회장을 맡아 함께 근무하던 유능
한 교사들을 초청하여 초등학생을 위한 여러 가지 교실을 개
강하였다. 또 광도초등학교 수영장 개방을 추진하여 주부들을
위한 수영교실을 개강하였다. 이때 그 넓은 수영장 청소를 혼
자서 손수 하였고, 버스를 대절하여 교통편을 제공함으로써 Y

활동의 기틀을 마련했다.

교회에서는 권사회, 전도회의 역할이 매우 중요하다. 작은 일부터 큰 잔치에 이르기까지 각종 행사 준비와 음식 준비는 모든 교인을 행복하게 만드는 즐거운 봉사였다.

딸이 신설된 충무여중에 배정받아 고대산 육성회장님과 콤비를 이루어 허허벌판 논을 아름다운 운동장으로 만들었고, 피아노를 기증하여 음악실다운 음악실을 만들었다.

딸이 고등학교에 다니던 시절, 어머니 회원들과 함께한 스승의 날 행사는 신선한 바람을 일으켰다.

입시 때 떠돌던 이야기 하나.

대학 입시를 위해 작성된 성적일람표에 어느 학생의 성적난이 빈 칸인 것을 보고 수군거렸다. 선생님이 우리 집에서 원서를 써주셨고, 지망대학은 함구하였다. 철없는 자랑 아닌 자랑이 내신조작이라는 소문으로까지 번졌다. 지금 같으면 그런 일이 있을 수 있을까? 다행인지 불행인지 그 학생이 불합격함으로써 문제는 확대되지 않았고, 미스테리한 소문은 조용해졌다.

요즈음 같으면 그 성적일람표가 휴대폰으로 찍혀서 곳곳으로 펴져나갔을 것이다. 아찔하다. 어느 학부형이 전화를 해서

"내신조작 사건을 아느냐?"고 물었다. 내신조작을 했으면 불합격했겠느냐고 답하니까 조용해졌다.

어느 날 8년 동안 마음속에 묻어 둔 딸의 마음을 아프게 한 이야기를 들었다. 평생 처음 지은 집의 집들이에 선생님들을 초대한 것이 아이가 따돌림 받게 된 원인이었다.

8년 후에야 알게 된 바보 같은 어머니. 8년 동안 가슴속에만 묻어 두었던 마음 깊은 딸의 아픔도 모르고 회장이라고 으스대지는 않았는지 너무나 부끄러웠다.

그 아픔의 흔적들도 작은 역사이기에 기록해 두려고 한다.

종류	직위	수여자	수여 일자
감사장	주부교실 충무시 지회장	이환철 충무시장	1980. 5. 3
감사패	어머니회 회장	충렬국민학교 정종택 교장	1981. 3. 24
표창패	주부교실 충무시 지회장	이환철 충무시장	1981. 5. 8
감사장	어머니회 회장	경상남도 교육위원회 이수동 교육감	1984. 1. 21
위촉장	충무지청 선도위원	이준승 검사장	1984. 8. 14
위촉장	새마을어머니회 회장	통영여자고등학교 김남기 교장	1985. 4. 20
위촉장	전기통신 고객 대표자회의 위원	최주달 충무전화국장	1981. 8. 13
위촉장	충무시 지방모자복지위원	김영동 충무시장	1991. 11. 13
감사패	충렬초등학교 제13회 졸업생	충렬초등학교 원필숙 교장	2019. 2. 22

주부교실 크리스마스 고아원 방문 (1980년 12월 20일)

주부교실 환경 캠페인 (1981년 5월 3일)

여성단체연합 추도 섬마을 봉사 (1981년 10월 10일)
왼쪽부터 필자, 김예숙 새마을회장, 백양순 한국부인회장

너무나 억울했던 법원 조정

1996년 11월 23일 오전 10시 통영법원 조정실 판사님 앞에 앉았다. 같은 교회 ○○○집사와 함께.

판사님이 질문했다.

어떤 사이이기에 근저당 설정을 해주었습니까?

점포를 전세 준 사이이고 같은 교회의 젊은이로 담보가 없어 전자제품 수급에 어려움이 많다고 하도 부탁하기에 계약기간 동안 활용할 수 있게 하는 것도 좋을 것 같았습니다.

삼성전자에서 온 공문 통지서 내용

담보제공에 대한 감사의 내용. 1990년 5월

발신처 : 삼성전자주식회사 대표이사 강진구

1990년부터 약 3년 동안은 대리점을 잘 운영해 오다 점차 난관에 봉착하여 집세가 밀리기 시작했고, 본사에 결제대금이 밀려 삼성전자주식회사로부터 통지서가 날아왔다.

대리점 계약해지 및 채무변제 최고. 1996년 11월 25일

발신 : 채권자 삼성전자주식회사 대표이사 김광호

좋은 관계로 해결되기를 원했지만 1996년 8월 21일 김광주 변호사를 선임하여 대응하게 되었다. 검찰청 선도위원으로 10년간 봉사했는데 조정실에 앉다니…. 너무도 부끄러웠다.

월 60만 원의 임대료가 약 3년치 밀려 있었다. 모두 포기할 테니 점포만 정상적으로 돌려달라고 제의했다. 그런데 답이 없다. 판사님이 크게 꾸짖었다.

"요즈음 찾기 힘든 이런 고마운 분을 이곳에까지 오게 해서 마음 아프게 합니까?"

조정으로 끝났지만 도리어 내가 교회에서 얼굴을 들 수 없

었다. 어떤 분들은 우리 부모도 해주지 않는 일이라며 위로해 주었고, 오해했던 분들은 그 고마움을 알게 되었다. 가족 모두에게 미안했고, 상대편의 억지 주장에 쇼크로 설사병까지 얻은 남편에게 너무 미안한 일이 되어버렸다. 남편은 처음부터 설정에 반대했었는데…. 좋게 끝났으면 얼마나 좋았을까.

가끔 그런 생각을 하면 좋은 일을 하려고 마음 먹다가도 두려움이 앞선다.

간혹 친정아버지를 닮아서 남의 일 보기 좋아한다는 핀잔을 가족과 친지들에게서 자주 듣기도 한다. 그럴 때마다 내가 정말 아버지를 닮았을까 하는 의문이 든다. 오늘도 새삼 아버지 생각에 잠긴다.

어려운 일을 서로 돕는다는 것은 참 좋은 마음이다. 서로가 좋은 결과를 위해 이해하고 노력하여 보다 나은 사회를 만들어 나가기를 소망한다.

게이트볼과 강혜원 전 시의회 의장님

부부가 60대에 게이트볼 운동을 했다. 남편의 은사이신 김 상렬 게이트볼 회장님을 후원한 인연으로 함께하게 된 것이 다. 체대 교수인 아들이 최고의 라켓 2벌을 보내주었다.

통영에는 게이트볼 구장과 클럽이 많다. 용남면, 광도면, 도 산면, 산양면, 북신동, 도남동, 봉평동, 미수동에 구장이 있다. 시합이 있을 때는 광도구장에 모두 모인다.

광도구장은 세 개의 코트와 실내코트장과 부속건물을 갖춘 최신형 코트다. 우리 부부는 집에서 가장 가까운 봉평구장 회 원이 되었다.

그곳에서 고마운 분을 만났다. 시의회의장 강혜원 님이시다. 해가 긴 여름철에는 자주 오셔서 회원들을 격려하고 애로점을 묻고 해결하기 위해 최선을 다해 주신다. 승용차도 타지 않고 버스로, 도보로 지역주민들과 소통하며 무엇이 필요한지, 도와드릴 것은 없는지 항상 고민하신다. 그런 분이 지역구 의원이어서 미륵구장은 활발한 운동장소가 되었다.

그러나 우리 부부는 게이트볼을 떠나게 되었다. 테니스를 오랫동안 한 탓인지 운동량이 부족했기 때문이다. 더 나이 들면 다시 게이트볼을 하기로 하고 그라운드 골프를 하기로 했다.

6년 동안 함께한 전수만 분회장, 정문태, 이봉자, 이순남, 김옥련. 이신악 님들과 아쉬웠지만 작별을 했다.

통영에 하나뿐인 그라운드 골프구장은 용남면 체육공원에 있다. 그곳에서도 강혜원 님을 만났다. 노인들을 위해 무슨 운동을 하든 어느 곳이든지 살피고 격려하러 다니시기 때문이다. 통영의 모든 노인들을 위해 주시는 분이다.

작은 약속이라도 생명처럼 지키시는 분, 가능한 일은 힘써 주시고, 불가능한 일은 그 이유를 반드시 이해할 수 있도록 알려주신다. 4선 의원으로, 상임위원장 1번, 부회장 2번, 시의회의장을 2번 역임하시며 16년 간 청렴 성실의 대명사로 불렸다.

통영대교, 보듸섬 마을 주민 이주, 미수해양공원, 어린이 물
놀이시설, 체육시설, 미륵도 도시가스 배관 시설 및 공급, 통영
항 대체 어항 미륵도 유치, 통영국제음악악 미륵도 유치, 주민
센터 신축, 근해통발수협 본점 유치, 케이블카, 광바위 수변산
책로, 연필등대, 운하 주변 조명, 힐링 휴양지 미륵산업도 숙원
사업 해결을 위한 예산 확보와 준공에 헌신하였다.

2022년 4월 22일 뜻밖의 메시지가 도착했다. 제목은 〈이
사람 : 시민의 한사람으로 돌아가는 길〉. 강혜원 장로님께서
보내신 글이다.

115년 전 증조부님께서 미수교회 설립 멤버인 기독교 집안
이다. 제대 후 충무 상호신용금고에 입사하였으나, IMF때 22
년 된 회사가 문을 닫게 되어 〈미소가 있는 꽃집〉을 열었다.

주민자치위원회의 봉사활동은 봉평, 도남, 미수 지역 시의
원으로 선출되어 새벽 5시부터 오후 7시까지 매일 해양공원,
물량장으로 마을을 돌며 지역의 지도를 바꾼 사람이 되었다.

이번에는 불출마를 선언하여 너무 아깝지만 붙잡을 때 떠
나는 것이 현명할지도…. 그동안의 수고에 박수를 보내며 항상
시정에 관심 갖기를 부탁드리면서 건강하시길 기도드린다.

마지막 운동 그라운드 골프와 고성곱창 황분이 여사

그라운드 골프 통영구장은 거제대교 옆 용남면 바닷가 체육 공원 테니스코트 옆에 있으며, 전국 최고로 좋은 위치에 자리잡고 있다. 연세 드신 분들이 매일 모여서 즐겁게 운동을 한다.

3년 전 여름에 우리는 차가 있고 시내에 살기 때문에 심부름꾼이 되었다. 게임성적을 기록하여 모은 돈으로 매일 시원한 수박을 비롯한 간식을 신나게 준비했다. 남편은 매일 동요를 준비하여 나무밑 노래교실로 모두가 즐거웠다. 무더운 여름에도 이렇게 열심히 운동을 할 수 있고 하루를 건강하게 보내는 것에 너무 감사했다.

어느날 고성곱창 황분이 여사가 새로 오셨다.

MBC에서 〈백년가게〉로 선정하여 2020년 8월부터 약 3개월간 방영되었다. 나누기, 대접하기를 좋아하고, 힘든 일과 청소도 앞장서서 하셨다. 다른 지역으로 시합을 하러 갈 때에는 새벽부터 손수 안주를 준비하여 회원들에게 먹는 즐거움을 선물한다.

둘째아들 최낙기 씨는 가게 경영은 물론 스포츠 후원자로 널리 알려져 있다. 어머니의 전통을 이어받아 계승하겠다고 스스로 택한 용기가 대단하고, 어머니와 함께 즐겁게 운영하는 모습은 손님들을 기분좋게 해준다. 우수한 가게 운영과 스포츠 후원으로 2021년 4월 '중소벤처기업부 장관상'을 수상했다.

2021년 5월 장로님의 어깨 통증으로 당분간 운동을 함께할 수 없는 기로에 섰다. 운동을 하던 오후 시간이 되면 바다와 케이블카를 바라보면서 지나온 운동 시간들을 되돌아 본다.

통여중 시절 쉬는 시간 10분 동안 교단으로 달려가 네트 대신 흰 분필로 교단 중앙에 선을 긋고 싸구려 나무 라켓으로 탁구공 주고 받기를 했는데, 그것도 선착순이라 빨리 달려가야 했다. 방과후면 유일한 체육시설인 가교사 탁구교실은 언제나 만원이다. 운좋게 일찍 도착한 날이면 게임을 할 수 있었지만,

한 게임 이기면 딱 한 번 더 할 수 있는 것이 불문율이었다. 여기에서 뛰어난 실력으로 기둥 역할을 하던 강원자는 명문 부산의 경남여고 탁구선수로 스카웃되었다.

통영에서 오직 하나뿐이었던 항남동 큰 창고를 개조한 유료탁구장에 용돈만 모이면 갔던 기억이 있다. 남학생, 어른, 많은 사람들과 어울렸던 경험과 추억은 후일 누구와도 탁구를 할 수 있는 기초가 되었다.

중3 때는 주말마다 통영수고 정구장에서 사촌 금자와 함께 인섭 오빠에게 정구를 열심히 배웠다.

여고때는 배구붐이 한창이라 방과후 연습으로 학급대표 선수로 뽑혀 교내 배구대회에 참가했다. 그 경험으로 후일 교사시절 충렬여교사 배구팀장으로 교직원 대회에서 우승을 이끌어냈다.

교직 생활을 그만 둔 뒤로는 테니스 목련회 여성 10인방의 총무로 오래 봉사했다. 매치포인트에서 아킬레스건이 파열된 큰 부상으로 수술을 한 뒤로는 테니스를 할 수 없게 되었다.

통영 죽림에 씨싸이트 골프 연습장이 개장되었다. 선배 언니의 권유로 3개월간 정규레슨을 받았지만 머리는 얹지 않았다. 최고의 운동이었지만 분수에 맞지 않았고 지방이라 연습장만 다닐 수는 없는 여건이었다. 모두가 머리 올리자며 불러 내어서 마음 먹은 대로 연습만 할 수는 없었다. 50대는 볼링, 60대는 게이트볼, 마지막에는 그라운드 골프를 했다.

교통사고 때의 기적적 회생은 꾸준한 운동 덕분인 걸 생각하면 어떻게 해서라도 운동을 쉬지 않아야 한다고 마음 먹었다.

그동안 하명찬 회장님을 비롯 정동재 사무장, 박윤자 회계 두 분의 수고와 스포츠 정신이 돋보였다.

초기부터 기반이 되도록 수고하신 김양곤 교장 선생님, 공경영 고문님과 주준부 사무장을 비롯하여 남봉현 자문님, 부회장 강장열, 정귀미 님과 김건식, 서병진, 김정환 이사님, 김상

남편 회갑 기념 발리 클럽메드에서 사위와 함께

균, 강수성 감사님의 수고에 감사드린다.

남편 수술 후 자문이신 주대인 교장 선생님이 베풀어주신 위로회를 잊지 못한다.

2021년 12월 29일. 요즈음 건강 문제로 힘드신 김종승 씨를 모시고 공경영 회장님, 김건식 이사님과 함께 점심을 하였다. 며칠 후 김종승 씨가 또 만남의 자리를 제안하여 이래저래 서로 만나는 행복한 시간이 되었다.

자동차를 처분하여 교통편이 어렵게 되어 용남면 소재 그라운드 골프장으로 갈 수 없게 되었다. 이제 걷기운동이라도 열심히 해야 되겠다.

다행히 충무교회에는 실내 탁구장이 마련되어 있다. 집에서 교회까지 왕복 1시간이면 충분하다. 적당한 운동시간이다. 코로나19가 물러가고 탁구교실이 활성화되면 함께하고 싶다.

2022년 4월 16일자 〈한산신문〉에 평림 국민체육센터 내 탁구장 개관했다는 기사가 실렸다. 총 23억 원이 투입되었는데, 연면적 $978m^2$, 지상 2층의 일반철골로 된 구조물이라고 한다. 대중교통이 불편한 곳이라 잊고 있던 작은 차와 운전이 그립다.

교통사고, 꿈인가 생시인가

눈을 떴다. 기적을 주신 하나님. 분홍색 천사들이 내려온 것 같은 착각에 빠졌다. 아들 부부, 딸 부부, 여동생 부부, 미화, 정석훈 선생님. 내 침대 옆에 모두 나를 에워싸고 있었다.

2019년 5월 12일 일요일. 오전 11시란다. 어젯밤 무릎수술 부위에 이상이 생긴 남편을 입원시키고, 교회에 출석하기 위해 집으로 가던 중 교통사고를 당한 나를 위해 새통영병원으로 달려온 식구들이다.

왼쪽 눈 위의 큰 핏줄이 터져 피투성이가 되어 실려와 모두가 죽었다고 생각했다 한다. 다행히 생명에는 지장이 없고, 앞니 2개가 없어지고 왼쪽 쇄골이 부러졌다.

오후 2시 2차 면회 후 서울 사람들은 모두 보냈다. 5월 13일 작은 딸 미화랑 날씬의원에서 약 2시간 눈 위 부위의 수술을 받았다. 깊게 파열되어 힘든 수술이었지만 성공적이었다.

문제는 부러진 쇄골이었다. 3차 촬영을 할 때까지 골절부위가 더 벌어지고 있어서 2주 내로 수술해야 된다고 했지만, 너무 놀라고 무서워 수술을 받을 수가 없었다. 머리와 목은 무사했고, 5월 17일 서울서 내려온 딸이 하나손해보험 장우성 과장님과 면담했다. 사려깊고 합리적인 분이시라 잘 처리해 주셔서 계속 치료를 받았다.

5월 24일 아들이 서울서 내려와 아버지를 퇴원시켰다. 오른쪽 무릎을 재수술하지 않고 입원치료만으로 끝난 것은 너무도 다행이었다. 4인실 병실의 옆자리에 있던 신윤선 씨의 남편 서점암 사장님은 매일 재미있는 이야기를 하셨다. 그중 자신이 산재로 마산병원에 입원해 계실 때 옆자리에 있던 고아 청년을 위해 마산시청을 직접 방문하여 보험혜택을 받도록 도움을 준 헌신적인 이야기도 있었다. 병원에서도 외출을 못하게 했지만 몰래 가셨다고 한다. 감동적인 이야기다.

현대교회 임둘임 집사님이 외국 사위를 맞게 된 드라마 같은 이야기, 이선림 씨는 통여중 후배인데 폭군 같았던 첫남편과 이혼한 후 재혼에 성공해서 도산면에 집을 짓고 나무꾼과 선녀처럼 살아간다고 한다. 병실에서 만난 좋은 이웃이었다.

5월 31일 금요일 퇴원, 병원 앞에서 남편으로부터 꽃다발과 편지를 받았다. 아! 죽음의 그림자를 넘어 집으로 돌아왔구나!

보험은 참 고마운 제도이다. 몸과 마음이 모두 지친 상태에서 병원비까지 가족에게 부담시키지 않아도 되는 다행스러움. 2개월이 지난 후 쇄골이 자연적으로 붙게 되어 보험회사와 가해차량도 부담이 줄게 되어 다행스러웠고, 사고차량과 운전자에 대해 전혀 모르는 상태로 물리치료를 받은 후 통영에 오신 장우성 과장님께 기분 좋게 합의해 드렸다.

지금도 왼쪽 다리 전체는 옛날과 다르다. 계속 운동과 치료에 힘쓰지만 어쩔 수 없는 교통사고의 후유증이 아닐까. 그래도 하나님께 감사하다. 훈장처럼 언제까지나 남아있을지….

통영 사는 막내 장옥련 시누님은 약 1개월 동안 오전 11시부터 저녁까지 우리 부부를 간병하고 모든 일들을 처리해주어 불편함이 없었고, 친자매처럼 허물없이 지내는 게 감사하다. 창원 사는 세 딸들이 어머니를 모시려 할 때마다 헤어지게 될까봐 걱정이 앞선다. 아들, 딸들과 함께 사는 친구들이 이제는 부러워진다.

오래된 적십자병원과
이상욱 실장 장로님

퇴원 후 식욕과 의욕 모두를 상실한 채 2개월 동안 누워만 있었다. 쇄골 수술 보류로 냉대받던 병원생활도 서럽고 무섭기만 했었다. 왼쪽 다리를 절게 된 것이 자녀들에게 알려져 다시 나를 일으켜 세웠다.

7월 23일 적십자병원에서 박병규 정형외과 과장님의 진료를 받았다. 이 병원에 오래 계셨고, 합리적이고 실력이 뛰어나다고 정평이 난 분이다. X-ray 촬영 후 선생님께서 말씀하셨다.

"쇄골이 붙었습니다. 나이와 상태로는 거의 불가능한데 진이 많이 나오는 것도 기적같은 일입니다."

아! 이게 꿈인가, 생시인가? 수술과 재활 1년 후 핀 제거수술까지 면제받다니…. 다리는 주사, 약 복용, 물리치료 100일로 거의 정상화되었다.

물리치료실장 이상욱 장로님은 이름난 실력파이시다. 수요일마다 입원 환자를 위해 2층 휴게실에서 감리교회, 죽림교회, 인평교회 목사님들의 순회예배와 실장님의 기타 반주로 찬양을 주관하여 감명을 주셨다. 본관 3층에 위치한 물리치료실은 편리하게 엘리베이터로 이동할 수 있고, 통영에서 가장 치료받고 싶은 1순위 물리치료실로 인기가 높다. 늘푸른교회 김영주 목사님은 매일 희망풍차를 안내하신다.

권소정 치료사는 상냥하고 친절한 아름다운 여성 치료사이다. 정성어린 약손으로 치료해주는 일주일에 한 번은 꼭 만나는 내 담당 해결사이다. 청주 출신이고 미혼이어서 치료 중 떠나버릴까봐 가슴 졸이기도 했다.

홍가을 치료사는 가을에 온 사람으로 이름처럼 다정하다. 두정균 치료사의 활동모습을 보면 마음이 편안해진다.

약 70년 역사의 적십자병원은 코로나 19 치료소로 지정되었다가, 통영에는 확진자가 많지 않아 취소되고 다시 정상으로 돌아왔다. 선별진료소만 남아 이용되고 있다.

1941년 10월 25일 조선통영간이보험진료소로 시작하여 1955년 4월 1일 개원한 통영 적십자병원은 오랫동안 가깝고 고마운 이웃이었다. 가족 모두가 아프면 언제나 달려가는 곳이었고, 옛날에는 의사 선생님의 왕진도 있었다.

국민학교 시절 수천당병원에서 어린이는 참지 못한다며 편도선 수술을 거절당했다. 그당시 서울서 오신 적십자병원의 허 원장님께서는 두 손을 모으고 꼭 참을 수 있다고 편도선 두 쪽을 한꺼번에 수술해달라는 내 간청을 들으시고는 안타까이 여겨 성공적으로 수술해주셨고 치료받는 나의 머리를 쓰다듬으며 "공부도 잘하지? 너는 모든 것을 잘 참고 이겨내는 훌륭한 사람이 될거야!"하고 용기를 주신 그 말씀을 오랫동안 간직했다.

하나님 아버지! 감사합니다. 두 손으로 덮으셔서 이렇게 살려주신 것, 주님과 동행하고 헌신하고 봉사하여 모자란 것 다 채우고 오라는 명령으로 받겠습니다.

부족한 사람을 위하여 병원에 오셔서, 또 여러 곳에서 기도해 주신 분! 잊지 않겠습니다. 통영 적십자병원의 발전을 기원합니다. 의료진 모두 감사합니다.

치과는 고마운 곳

초등학교 때 이빨이 아프면 어머니는 굵은 소금을 아픈 이빨에 물려주셨는데, 너무 아파 팔짝팔짝 뛰었던 기억이 있다. 치과를 모두 무서워할 때였는데, 그 당시 통영에서 유일했던 동광치과, 반 치과 두곳을 부러운 눈으로 쳐다만 보고 다녔다. 얼마나 아팠으면 그랬을까?

교사가 되어서야 어머니는 이규엽시민치과에서 양쪽 어금니 자리에 산뿌라(산프라티나) 이빨을 해 넣어주셨다.

5년 보장한다는 이빨을 정성껏 관리하여 16년을 사용했다. 그 이후 박주형치과에서 고급 이빨을 시술하여 50대 중반까지 사용했으나 문제는 잇몸이었다.

그 이후에는 사위 추천으로 막 개업한 이한규치과로 옮겼다. 임플란트 시대가 개막되어 오래되어 빠진 어금니를 임플란트로 심어 고맙게 잘 사용하게 되었다.

77세때 교통사고로 오른쪽 앞니 2개가 달아나 임플란트가 필요했는데 선생님이 시술을 쉬고 있는 중이어서, 서울의 플러스치과 김현태 원장님께서 해주셨다. 미국에 유학을 가서 전공분야를 더 공부하신 분으로 좋은 진료를 하고 계셨다.

2023년 4월 9일 저녁식사때 아슬아슬하게 버텨오던 왼쪽 앞니 2개가 순간 빠져버렸다. 너무도 황당했다. 다음날 치과에 갔더니 임시로 사용할 수 있는 부분틀니라는 뜻밖의 아이디어를 제안한다. 잘 관리하면 그런 대로 쓸 수 있다는 이야기에 지난 밤 잠 못이루고 걱정만 한 게 도리어 후회스러웠다.

80세가 넘도록 네 분의 치과 선생님께 치료를 받았는데 우연히도 모두 서울대 치대를 나오신 분들이셨다. 통영에서는 만나기 힘든 귀한 인연이며, 마지막으로 만난 이한규 선생님은 참으로 대박이다. 가장 중요한 자기 이를 최대한 끝까지 살려 주기, 양치질 지도 등 다녀간 환자는 모두들 고마워한다. 접수를 담당하는 사모님의 설명과 정리도 일품이다. 행운의 선생님 부부가 언제까지 강건하시길….

우리는 수향에서 만난다

물의 고향, 수향. 통영에는 수향초밥이 있다. 약 50년간 매월 2일 학부형 모임과 통여고 10회 모임의 아지트다. 14회 후배들과의 친선경기도 매달 4일 수향 모임이 인연이었다.

들어서면 통영 나폴리가 판데목으로 뚫리기 전 옛날 돌다리 사진이 먼 향수를 불러 일으키며 걸음을 멈추는 우리를 맞아준다. 통영 생선요리를 자신있게 권하고 싶은 곳, 좋은 고객으로 대접받는 느낌이다. 복도와 방에 걸린 수준높은 그림은 자존감을 갖게 해준다.

안주인인 후배 안말순 여사의 따뜻한 손길은 봄이면 진달래꽃전, 쑥전, 도다리쑥국으로 어머니의 향수를 불러준다. 일년 내내 뽈락어장조림, 신선한 초밥, 새우튀김, 맛깔스런 밑반찬, 사철 해산물이 풍성하고, 세련된 솜씨와 분위기가 있는 집이다.

바뀌지 않는 주방장과 서빙맨들이 항상 반겨주어 고맙다. 34년 된 어머니들인 군재, 귀엽, 미정, 은경, 일선, 창숙, 미자, 지영은 딸들보다 친해져 팔순잔치까지 하게 되었다. 10회 통영 동창들인 경자, 길자, 선자, 순자, 옥자, 옥지, 정자, 행자, 그런 대로 건강하게 살아서 팔순 모임을 하는 게 고맙다.

가장 감사한 것은 김일용 문화원장님께서 평생 수집한 자료를 〈향토역사박물관〉에 기증하셨고, 통영역사문화연구로 역사박물관장을 거쳐 문화원장에 취임하셨다. 전통문화강좌를 개설하여 사라졌던 '새미용왕재'와 '벅수제'를 2015년부터 복원하셨고, 2020년에는 통제영 둑제를 발굴, 재현하신 공로를 인정받아 '2019년 문화체육부장관 대상'을 수상하셨다.

저서로는 《통제영과 통영성》, 《통영의 문화역사 바로잡기》, 《김약국의 딸들의 현장을 찾아서》, 《통영운하의 옛모습》, 《통영시 새주소 도로명의 지명유래》외 다수이며, 논문으로는 "임진란 적진포 해전" 외 다수가 있다. 문화의 향기가 초밥과 함께하기에 그래서 가고 싶은 곳이 '수향'이다. 통영의 문화·향토 관련 서적이 필요하면 그곳에 있다.

통영신문에 선정된
주길자, 이현옥 이야기

2021년 9월 27일 통영신문에서 '살맛나는 세상 만들기'로 《당신의 인생을 응원합니다》라는 책을 발간하였다.

11월 12일에는 남망산문화회관 소극장에서 출판기념행사가 열렸다. 이순금 동창이 친구 대표로, 길자의 며느리와 딸이 가족대표로 참석했다.

심상하게 지나가는 평범한 하루하루가 역사를 이루듯이 무명의 한 사람 한 사람 범부가 오늘의 통영을 있게 한 역사의 주인공. 이들의 진솔한 이야기가 통영의 역사이다.

다음에 그중 5명을 선정했다.

첫째, 조덕제 이야기 《가을 노을은 홍시보다 붉다》 (조극래 씀)

둘째, 이진구 이야기 《춘화의 정원에 눈물꽃이 피었다》
(김해성 씀)

셋째, 이현옥 이야기 《장인의 뜰》 (이현옥 씀)

넷째, 주걸자 이야기 《나의 삶 마리오네트》 (권순극 씀)

다섯째, 박중근 이야기 《가을은 겨울을 두려워하지 않고 겨
울은 봄을 포기하지 않는다》 (김미선 씀)

그림 : 최은란, 정희경, 이다비, 서지혜, 이현

주걸자는 어릴 때 충렬초등학교를 함께 다닌 소꿉친구다. 3
남2녀를 혼자서 억척스럽게 키워
낸 여장부다. 언제나 솔선하여 봉
사활동에 앞장선 과거로 역사의
주인공으로 선정되어 그 노력이
늦게나마 빛을 보게 되어 기쁘다.

2011년 7월 28일 통영의 딸 신
숙자 건으로 동아일보와의 인터
뷰가 예정되어 있었는데, 약속된
친구들이 못오게 되어 당황하게
되었다. 그래서 갑작스럽게 전화

를 했는데, 10분 내로 택시로 달려와 함께해준 고마움을 잊지 않고 있다.

주길자가 지난 21년 5월 7일 태평동 집을 정리하고 도천아파트로 이사를 와서 이웃사촌이 되었다.

통여중 동창인 이순금이와 길자가 단짝이라 나도 함께 만나는 기회가 되어 옛날로 돌아갈 때가 많아졌다. 순금이는 공부에 대한 포부를 식당을 경영하여 세 딸에게서 보람을 찾았다. 첫째 딸 김도정은 학원을 운영하고, 둘째딸 김양진은 대학교수로, 셋째딸 김양현을 여의사로 훌륭히 키웠다. 셋째딸은 우리가 자주 찾아 이제는 거의 주치의가 되신 열린내과 오원택 원장님과 동창이다. 의사 딸이 JTBC 특파원 남편을 따라 뉴욕으로 갔는데, 외손자 졸업식 참석차 22년 5월 28일 출국한다.

이현옥 권사님과 그림을 그리신 최은란 권사님과는 충은교회의 명콤비이다. 이들은 가정환경이 불우한 어린이들을 헌신적으로 보살피고 가르치고 돌보는 진정한 하나님의 일꾼들이다. 글과 그림으로 만난 건 신나는 일이다. 주일이 되면 이 두 분의 아름다운 교사 생활이 보고 싶고 그리워진다. 최은란 권사님과 이현옥 권사님은 언제나 형제처럼 함께하고 싶은 그리운 얼굴들이다.

40년 사랑방 광명미용실

　서호시장 부근에서 시내버스를 내려 충렬사 신작로를 따라 올라가면 옛 변전소 전기불터 자리에 '청년세움터'가 세워졌다. 계속 100m쯤 올라가면 왼쪽에 그저 평범한 광명미용실이 있다. 들어서는 순간 시선이 멈춰진다. 2018년 10월 13일 방영된 SBS〈빅픽처 패밀리〉에서 '차선장 미용실 습격사건'이라는 제목으로 된 큰 액자가 눈에 들어온다.

　빳빳해서 다루기 힘들다는 차인표 씨 머리를 손질해 주었더니, 서울 일류 미용실보다 더 마음에 들게 했다며 극찬하고 서피랑을 향했다고 한다.

　대하소설《토지》의 작가 박경리 여사, 윤보선 대통령의 부

인인 공덕귀 여사, 두 공주가 태어나 자란 곳. 세 공주 예언으로 더 유명해진 서피랑. 예언된 나머지 한 공주가 과연 나타날 것인가? 아니면 전설로 끝날 것인가. 수수께끼다.

약 40년 전 젊은 신혼부부가 이곳 통영에 오셨다. 대전이 고향인 곽권재 교수님께서 통영수대 군사훈련 교수로 부임하시면서 진주에서 미용실을 하시던 부인 이광자 여사님께서 함께 오셔서 이제 40년이 넘었다. 경상대 40년 정년퇴직. 두 분의 외길은 너무다 닮은꼴이다.

이곳은 동네 사랑방. 생활정보는 물론 옛소식을 들을 수 있고 만날 수 있는 곳이다. 충렬의 동료였고, 여동생의 교대 동창이던 안도영 선생님이 세상을 떠났다는 기막힌 소식을 여기에서 그 언니를 만나 알게 되었다. 파마는 멋지고 어울리게, 가격은 싸게, 그것도 요금의 1/10은 어떤 형태로든 돌려주려 애쓰는 곳이다.

옛날 통여중에 근무하셨던 김복숙 선생님 부부도 이곳 단골이며, 특히 김 선생님과 원장 선생님은 잘맞는 요리 짝꿍이다. 특이한 요리를 서로 교환하며 즐긴다는 맛쟁이들이다.

여고 때 클럽 후배였던 강월련도 40년 만에 만난 곳이다. 북신동, 도남동은 물론 서울, 부산으로 이사간 후에도 통영에 들르면 꼭 다시 찾아 파마를 하고 가는 곳으로 유명하다.

이름난 멋쟁이 후배들 중에도 광명 40년 단골이 많은데, 모두가 50년을 목표로 삼자고 농담을 즐긴다. 아마 가능할까?

요즈음은 혼자 바쁠 때는 간혹 아르바이트도 이용하면서도 하는 일이 너무 많다. 땅끝마을 고구마, 산양면 무화과, 겨울철 서호동강정, 도리골 김장김치, 전복, 소라 등 해녀 연결, 젓갈 연결, 고성 장애인 아저씨 고구마와 옥수수 팔아주기 등 타고

난 성품을 말릴 수 없다. 즐겁게 남을 돕는 게 얼마나 좋은 일인가.

장남 곽호진 씨는 고마운 민주경찰이다. 서울 종로에서 근무하다 고향을 희망하여 두룡초등학교 우수교사인 아내 문현경 선생님과 두 딸이 부모님과 이웃하여 오고가는 모습은 요즈음 보기 드문 풍경이다. 두 손녀의 머리 손질에 행복한 미소가 떠오르는 게 너무 아름답다. 모두가 부러운 장면이다.

어머니의 심성을 닮아 어려움을 당한 사람들을 성심껏 도와주고 바른 길을 안내해 주어 참된 민주경찰의 본이 되고 있다.

이곳에서 머리 손질을 원하는 모든 분들이 건강하시기를 바라며, 이제 나이 때문에 건강에 신경 쓰여지는 원장님 생각에 지날 때마다 사인볼이 잘 돌아가는지 건강하게 잘 계시는지 유심히 보는 습관이 생겼다.

8,000원 정식집 식탁의
김숙자 여사

밥하기가 싫어질 때가 부쩍 많아졌다.

옛날 같았으면 며느리 해주는 밥 먹고 손자들 재롱에 함께 살텐데. 우리에게 그런 세상은 없다. 그런 시대는 오지도 않을 것이고, 시대 잘못 만난 탓, 변해버린 탓 모두 소용 없는 일이다.

비싼 밥 거창한 식사가 부담스러울 때 갈만한 곳이 생겼다. 거제 고현에서 〈산채촌〉으로 통영 음식솜씨를 알렸던 김숙자 육촌동생이 '팔천 원' 균일가 집밥을 선언하고 무전동에 〈식탁〉을 개업했는데, 22년 4월부터 8,500원으로 인상되었다.

그동안 등산도 해외여행도 여러 번 다녀왔다. 그러나 건강한 사람으로서 허전함이 있다. 그 결론은 '일을 해야 한다'였다. 때마침 코로나 19로 거제조선소에서 은퇴 아닌 은퇴를 한 아들 유동준이 운영을 맡고 어머니가 2년의 공백을 깨고 아르바이트생과 함께 주방을 맡아 차린 맛집이 바로 〈식탁〉이다.

숙자 이모님은 충렬사 춘추제사 음식을 만드셨던 정문댁. 그 솜씨를 이어받았다.

이곳에는 몇 가지 원칙이 있다.

○ 하루 점심 한 끼 제공(오전 11시 30분~오후 3시까지)

○ 일요일과 공휴일은 쉰다.

○ 한정식으로 주메뉴는 매일 바꾼다. 1~2인용, 3~4인용, 반찬 그릇 구별로 남는 반찬은 최소화한다.

○ 밥과 국은 셀프로 무한리필

○ 거제 앞마당에서 손수 재배한 채소 사용

혼자 시간이 많아진 남편이 텃밭 가꾸기 연구로 일류 농부가 되어 각종 싱싱한 채소를 손수 길러 식당에 매일 공급해 준다.

밥하기 싫으면 들린다. 챙겨주는 반찬은 고맙기만 하다. 손님이 많으면 내가 괜히 신이 난다. 성공하여 며느리에게 좋은 음식솜씨를 물려주어 대물림되기를 기대한다.

아버지와 숙자 아버지와는 사촌 간이다. 옛날 남자도 한복을 즐겨입던 시절에 통영에서 남자 두루마기는 숙자 아버지와 그 동생이, 조끼는 아버지가 최고 솜씨를 자랑했던 시절이 있었다.

숙자 할머니와 우리 할머니는 시누이와 올케 사이다. 아버지께서 왕고모님이라 불렀던 숙자 할머니는 항북목에서 해방교 옆 우리집에 매일처럼 오셨다. 좁은 집에 손주와 작은아들, 또 아들 며느리의 일터가 집이어서 일부러 나오셨던 것이다.

숙자 할머니는 뛰어난 미인이셨다. 처녀 때 발개등(동네 이름) 물만 보태고 처녀를 달라는 부자집의 청혼을 아버지 되시는 분이 양반답게 살아야 한다며 거절했다는 이야기를 우리들에게 들려주시곤 하였다.

자주 오셔서 허물없이 지내면서도 조그만 일에 토라져서 가시기 일수였다. 신경 쓰이는 어머니에게 "그냥 가만 두어라. 답답하면 내일이면 또 스스로 올 것이다." 말씀하시는 할머니 말씀대로 다음 날이면 또 나타나셨다.

소통과 간장독 사건

2022년 5월 10일 제20대 윤석열 대통령 취임식 날.

오전 10시경 대통령 부부가 모습을 나타내며 새 역사가 시작된다. 김건희 여사를 바라보면서 그분을 알지도 만나지도 않았지만 매스컴을 통해 많은 이야기를 보고 들었다.

지난 모든 일들과 경험들이 앞으로 대통령 부인으로서 전화위복이 되고 오늘처럼 아름다운 모습이 영원하길 기대한다.

이 시각 기적처럼 하늘에 무지개가 뜨고 74년 만에 청와대 정문이 활짝 열리며 국민들이 들어가는 모습을 볼 수 있었다.

2022년 5월 16일 대통령 취임 후 첫 연설에서 "야유 대신 18차례 박수"라는 방송과 기사를 보고 국회에 박수를 보내며 새 희망을 보는 모처럼 행복한 시간이었다.

2022년 5월 18일 광주 국립5.18민주묘지에서 5.18민주화운 동 42주년 기념식이 열렸다. 대통령실 참모진, 부처장관, 국민 의힘 의원 등 100여 명 이상이 참석했다.

유가족 손을 잡고 〈임을 위한 행진곡〉 제창이 있었다. 윤 대통령은 "오월정신은 국민통합 주춧돌"로 표현하셨다. 오랜 만에 보는 좋은 모습이었다. 국민의 마음을 하나로 만들어 줄 것을 바라는 작은 소망이 우리 모두에게 있다.

소통이 갑자기 이슈화되어버린 이때에 주마등처럼 스쳐가 는 잊혀지지 않는 '간장독 사건'이 떠오른다.

결혼 후 처음으로 마련한 건평 13평의 아주 조그만 집에 셋 째 시누이가 시골조카를 다시 맡기러 왔을 때로 기억된다. 나 는 마당에서 빨래를 하고 있었다. 그 옆에서 수석을 취미로 손 질하던 남편이 장독대를 향하여 그 수석을 던지는 순간 "쾅" 독 터지는 소리와 함께 콸콸 흘러내리던 검정콩 간장.

그 광경은 너무나 큰 충격을 주었고 이후 간장 담그기를 포 기했었다. 왜 남편은 그때 동생과 대화하고 소통하지 않았을 까? 열악한 환경을 보여주고 소통했다면 두고두고 미안할 일 도 아픈 상처도 되지 않았을 텐데. 소통 하면 '간장독 사건'이다.

편지는 기다림이고 추억이다

원고를 끝내갈 즈음, 많은 생각으로 자신을 뒤돌아 본다. 정리해야 될 시점이 넘었다. 제일 먼저 잡힌 것이 편지 모음이다. 50년이 훨씬 넘은 편지들. 봉투는 누런 색깔로 변해 푸석푸석해졌고, 글자는 닳아 희미해졌다. 귀중하고 소중한 사연들이라 지금껏 보관해 왔지만, 누구에게 물려줄 수 있을까? 기다림, 그리움의 모습, 누가 읽어주고 간직해 줄 수 있을까?

편지들 중 남편 몫이 가장 많다. 결혼 전과 결혼 후 함께할 수 없었던 애틋한 시간 속에 주고받은 많은 사연들. 첫 아기를 낳은 후 의령에서, 또 서울 수강중에 보낸 편지가 몇 백 통이나 추억거리로 간직되어 있다.

아들이 재수하는 동안 학원에서 온 편지는 큰 힘이 되었다. 다음은 딸이 대학 입학 후 기숙사에서 보내기 시작한 편지는 딸과 떨어져 살게 된 이별의 신호였다. 작가생활을 거쳐 결혼 후 어머니가 되어 이제는 편지가 아니라 휴대폰 문자 메시지로 소식을 전한다.

혼자 월남전으로 떠났던 남동생 종천이의 편지. 사흘이 멀다하고 보내준 군복 사진 뒷면의 간략한 소식들은 온 가족들에게 안도와 평안을 가져다 주었다. 둘째 남동생 종억이는 평소 실력 하나로 통영중학교에 수석 입학하여 충렬 학교를 떠들썩하게 만들었다. 그런 동생이 인천에서 보내온 그 많은 편지들, 그 사연을 정리하며 오늘도 가슴을 도려내는 아픔이다.

막내 여동생 순금이와 남편의 미국 유학 시절, 모든 금전 관계를 내게 맡겨 회계 보고 겸 재미있는 소식을 전했던 편지도 있다. 큰 언니 계순이는 어릴 때 이질로, 여동생 순선이는 천연두로 하늘나라로 떠나며 가슴 속에 영원한 편지를 남겼다.

오랜 소꿉친구였던 향지가 보내온 책과 편지, 김훈 부지사가 동창회 관계로 보낸 정겨운 편지도 남아있다. 벽방교에서 만나고 헤어졌던 정재운의 편지가 남이 있는 게 놀라웠다. 이제 모든 편지를 떠나보내련다.

운전 이별과 박동근 장로님

2021년 12월 칠순 때 두 자녀 가정에서 선물한 15년 된 SM5 승용차를 처분하고 운전면허도 반납했다. 차 없음에 미안해하지만 40년 넘긴 무사고에 감사할 따름이다. 너무 고마운 일은 박동근 장로님을 다시 만난 것이다. 약 40년 전 충무교회 문화유치원 원장 때 함께하셨던 박 장로님은 봉평동에서 주일 아침 우리 아파트를 지나시면서 기다려 주신다.

40년 만에 우리가 돌아와 보니 많은 분이 떠나버린 교회를 끝까지 지키고 계시는 충무교회의 산 역사이고 증인이셨다. 옛 교인들이 찾아오면 알아보시고 반겨 주시는 유일한 분이시다. 장로님이 오랫동안 계셔 주셔서 든든하고 감사하다.

제10부

마지막 이야기

이스라엘 '통곡의 벽'에서 (1997년 4월 30일)

아들딸의 어린 시절과 저금통 헌납

첫 아이의 태몽은 큰 소나무가 우거진 숲속 공원에서 산신령이 나타나 뻥뻥이를 돌려 정신을 잃었다.

"일어나라! 김유신 장군의 아들을 가졌다."

꿈이었다.

둘째는 꽃과 인형을 만드는 큰 대회에서 수상하는 꿈을 꾸었다. 임신 2개월 될 즈음 꼭 한 번씩 꾼 꿈이다.

1966년 6월 19일 일요일 오전 3시. 시민병원에서 아들 태어남.

1968년 12월 14일 토요일 오후 5시 50분. 시민병원에서 딸 태어남.

아들 장지훈의 전교회장 임명식

아들은 시민병원 신축 개원 후 출산 1호로 축복받았고, 들다 최용언 선생님께서 진료와 출산을 맡아 주셨다.

초등학교 때 어머니의 퇴근이 늦어지면 진료 다음날부터 적십자병원에 혼자 가서 스스로 치료를 받고 오던 첫째는 자립심이 강한 아들이었다.

통영에 처음 나타난 미국인을 보고 '장난감 사람'이 지나간다며 달려왔고, 돌 미끄럼틀을 태워주려는 사촌오빠를 "새빠스다!" 외치던 둘째는 모두를 재미있게 만들어 준 귀염둥이 예쁜 딸이다.

시간에 항상 쫓기던 교사 생활로 어머니로서의 보살핌이 부족했는데도 두 아이들은 건강하고 지혜롭게 자라주었다. 재호 어머니는 만날 때마다 네 아이들 친구 중 전화에 인사하는 아이들의 친구는 지훈이 뿐이라고 항상 칭찬하셨다.

잊을 수 없는 고향 안정 중앙교회 신축 이야기.

교회가 오래 되어서 낡고 산비탈에 위치하여 위험하기에 재직회에서 신축 이전하기로 결정하였다. 야트막한 언덕배기 신작로가 인접한 곳에 시아버지의 땅이 있었다. 큰아들인 형님은 사업이 어려울 때라 그 땅을 이용할 계획이었다. 둘

딸 장지영의 피아노 연주

째인 남편은 모든 것을 포기할 테니 그 땅 하나만 내몫으로 달라고 간청했다. 장로님이셨던 시아버지는 그 뜻을 헤아리고 허락하셨다. 백년을 내다볼 수 있는 최고의 위치에 교회를 신축 이전할 수 있도록 교회 부지로 헌납하였다.

시누이들과 조카, 모든 식구들이 손수 벽돌을 찍고 날랐다. 50년 전에 바다가 바라보이는 이곳에 아름답게 우뚝 선 교회는 누가 보아도 최상의 위치로 다른 교회들의 부러움을 사면서 이제 100년의 역사를 자랑한다.

교회 신축과 헌납 사실을 7살, 5살이던 두 아이는 어떻게 알았을까?

어느 날 저녁 두 아이는 돼지저금통을 우리 앞에 내밀었다.

"아이들이 벌써 이렇게 자랐나?"

태어나서부터 꼭꼭 모은 저금통 2개는 열어보지도 않고 교회 신축 헌금으로 교회에 바로 보내드렸다. 두 남매를 목사님께서 축복해 주셨다. 그 고마운 어린 마음씨에 얼마나 행복했던가. 그대로 자라주기만을 간절히 기도했다.

아이들이 잘 자라준 것은 더 큰 축복으로 되돌려주신 하나님의 은총이었다. 선교는 우리 집안의 영원한 꿈과 소망이다.

교수 아들과 약사 며느리
(장지훈, 김미애)

초등학교 입학 후 저녁이면 받아쓰기 문장 100개로 아들을 울렸다. 왜 그렇게 했을까?

교내 전교독후감대회에서 4학년 이상의 발표가 끝난 후 "희망자가 있습니까?"하자 3학년이던 아들이 손을 번쩍 들었다. 원고도 없이 즉석에서 감명깊게 읽었던 책의 독후감을 발표했다. 환호와 박수. 심사위원들은 1, 2위 선정에 고심하다가 뜻밖의 사태에 아들을 결국 2위로 결정했다는 후문이다.

5학년 때 전국 웅변대회가 있었다. 비싼 참가금과 상업적인 대회라 못하도록 했는데, 웅변실 밖에서 형들을 보며 스스로 연습하여, 어느날 저녁 우리 앞에서 웅변을 해보였다. 용기와 열정을 꺾을 수 없었는데, 최우수상 트로피를 안고 왔다.

2학년 담임인 이모의 교실에 자주 들러 독서와 이야기를 들려주어 독서왕 형으로 불리며 볼 때마다 아이들이 형이라 부르며 따라다녔다.

6학년 때에는 전교회장으로 활약했고, 수석졸업의 영광도 안겨주었다.

중학교에도 수석으로 합격하였다. 2학년 때 담임인 심주일 선생님은 "노는 것이 건강이다. 참되고 정직함이 앞서야 한다"는 믿음을 심어 주셨다. 국세청 글짓기 대회에서 '전국 최우수상'을 수상했고, 책으로도 실렸다. 제목은 "나 하나 쯤이야"인데, 영국의 어느 마을 잔치에 약속한 포도주 대신 모두가 물을 가져와 실패한 이야기를 소재로 이용하여 "나 하나쯤 세금을 내지 않는다면, 모두가 그렇게 한다면 나라가 어떻게 될 것인가"라는 내용으로 1위를 차지했고, 상금과 상품을 부상으로 받았다.

군 복무를 마친 후 아르바이트로 학생을 가르쳤는데, 천부적인 소질로 인정받았다. 생활 태도를 첫째로 하고, 공부는 둘째로 하여 지도하였는데 학생들은 엄청난 발전을 보였다. 이것이 훗날 대학에서 수업 잘하는 교수 1위로 선정된 밑거름이 아니었을까.

부모님들의 첫 해외여행비, 대학등록금, 38일간의 유럽 배낭여행비 모두 스스로 마련했다. 중앙대학교 약학대학원에서 만난 김미애와 약사 커플이 되었다. 제일제당에 근무할 때에는 회사 전체에서 첫 번째로 출근하고, 여러 가지 계획서와 기안들은 모범이 되어 회사에서 전국적으로 사용하는 모델로 채택하였다. 퇴사 만류로 늦어지기는 했지만, 한국체대에 진학하여 두 번째 석사·박사과정을 거쳐 꿈꾸던 대학교수가 되었다. 그 과정을 이루기까지는 며느리의 희생과 헌신, 남편을 향한 뜨거운 사랑과 열정, 뒷받침이 있었기에 가능한 일이었다.

약국만 아는 며느리는 검소하면서도 가난한 이웃에게는 무료로 약을 지어주고 돈을 잘 빌려주어 동네 천사로 불린다. 약 10년 만에 태어난 쌍둥이의 산후 조리 때 아파트에 함께 있었는데 어떤 할머니 한 분이 찾아오셨다. 며느리의 두 손을 잡고 눈물을 흘리며 아들의 유언을 전했다.

"어머니, 우림약국 약값을 어떻게 해서라도 꼭 갚아주세요."

결핵을 앓던 아들이 약값이 없어 약국마다 거절당했는데, 3년 동안 공짜로 약을 주었다며 신신당부했다고 한다. 장례 후 10만 원밖에 없어서 작지만 드려야 될 것 같아 약국에 오니 산후조리중이라고 하여, 실례를 무릅쓰고 아파트까지 오셨다고 한다. 며느리는 한사코 돈을 받지 않고 도로 드렸는데, 나중에 보니 문밖 우유함에 두고간 봉투가 그대로 있었다.

2020년 10월 어느 일요일. 예비 신랑신부가 찾아왔다.

주례 후 인사 안 받기로 유명한 장 교수님께 식사라도 대접하고 싶다고 가족 네 사람과 여섯 사람이 근사한 레스토랑에서 식사를 했다. 모두 의아해했는데 미리 계산한 장 교수. 도리어 감사하는 제자 커플. 그 이야기를 우연히 전해듣고 우리 부부는 얼마나 행복했던가! 돈을 쓸 줄 아는 근사한 아들때문에….

풍요로움을 안겨줄 수 있는 며느리와 동네 천사로 불리는 며느리. 이 중 우리는 누구를 선택해야 할까. 장윤지, 장윤준 두 손주가 부모의 심성을 닮아 하나님이 보시기에 '가치있는 자'가 될 수 있도록, 앞으로 남은 먼길을 걸어갈 수 있도록 매일 아침 기도한다.

입시가 끝난 손녀, 손자가 함께 아르바이트도 하고 운전면허 시험 공부도 한다는 이야기가 전해왔다.

2021년 12월 17일 오전 11시 기쁜 소식이 날아왔다.

손자 윤준이가 대학 입시 수시 모집에 합격했단다. 외손녀 예서에 이어 두 번째다. 합격 소식에 할아버지는 할렐루야 하는데, 할머니는 왜 왜 눈물이 왈칵 쏟아졌을까?

2021년 12월 28일 롯데마트에서 쇼핑 중 또 기쁜 소식이 날아왔다. 마지막 날이라 가슴 조이던 쌍둥이 누나 윤지의 합격 소식. 그 동안 고생한 며느리가 고맙다.

마음씨 착한 예쁜 딸을 곱게 잘 키우고 훌륭하게 교육시켜 아들의 배필로, 부족한 저희들의 좋은 며느리로 보내주신 김만갑 님, 우말자 님 두 분 사돈님께 진심으로 감사드립니다.

2022년 2월 1일 전통설을 맞아 대학에 합격한 윤지, 윤준이와 함께 아들가족 네 사람이 2년 만에 고향을 방문하여 안정 큰집에 들러 세배 드리고 거제 이모님께도 다녀왔다. 2년 전까지는 명절에 우리가 서울에 다녀왔었다. 아들딸 부부를 모두 만날 수 있고, 처가와 시가에도 다녀올 수 있게 하고 시간이 많은 우리가 여유롭게 다녀오면서 사위병원에서 치료도 받았는데, 코로나19로 모든 것이 바뀌어 버렸다.

아르바이트 대금을 받으면 할아버지 용돈을 드리자는 손주들의 의논소리에 참으로 행복한 마음 뿐이었다.

쌍둥이라 공립어린이집에 함께 입학이 되지 않아서 윤지를 먼저 입학시키고 윤준이를 업고 아파트 어린이집에 다녔다. 멋진 거여어린이집을 볼 때마다 저기는 윤지 어린이집, 여기는 내 어린이집 하던 안타까운 그 목소리. 몇 달 뒤 거여로 함께 옮겼는데도 어린 마음에 구별의 상처가 되었을까? 속으로만 궁금히 여겼었는데 오늘 대학 합격 소식과 함께 그 소리가 메아리쳐 온다. 왜일까? 이 집에 오신 분들은 특별한 일이 없는 한 오랫동안 계셔서 언제까지나 오래가는 건 며느리 마음씨 때문이다.

어릴 때 몇 년 간 키워주신 오금동 박종인 할머니를 방학때마다 찾아 하룻밤을 함께 보내는 정이 많은 아이들이다.

이 책의 출판을 맡아 준 대경북스 김영대 대표님의 이야기를 들었다. 대경북스의 전 대표님께서 자녀들을 두고도 유능한 전무님께 회사의 대표직을 승계해서 더 발전하고 있다는 훌륭한 이야기를 듣고 좋은 분을 만나게 해 준 아들이 고맙기만 하다. 2023년 완전히 정리 후 고향 강릉으로 떠나셨다.

특히 뒤늦게 찾은 사진들과 늦게 생각나 띄엄띄엄 보내는 토막글까지도 놓치지 않고 꼼꼼하게 편집하여 책을 낼 수 있도록 도움을 준 김영대 대표님에게 진심으로 감사드린다.

작가 딸과 의사 사위
(장지영, 신호규)

피아노 장. 딸의 애칭이고 별명이다. 충무시 학예발표대회에서 피아노 부문 최우수상 수상으로 자연스럽게 붙여진 이름이다. 전교 운동장 조회 때 〈애국가〉, 〈교가〉 제창 시 지휘로 학생 지휘의 전통을 세웠다.

딸의 가장 큰 아름다움은 고운 마음씨이다.

서호동 해방교 옆에 천막을 치고 길가 평상에 누워있는 장애인 아저씨가 있었다. 어머니가 집에서 매끼 식사를 나르고, 종일 책을 읽고 뜨개질을 했다. 어느 날 심술궂은 남자애들이 천막 속 평상 밑에 놓인 물주전자를 엎어버렸다. 아저씨는 길 가는 사람들에게 도움의 손길을 요청했지만 모두 외면했다.

학교에서 집으로 오던 딸이 주전자에 '돌샘'의 물을 떠다드렸다.

초등생 소녀가 고맙고 기특해서 과자를 주었는데, 받지 않았다고 한다. 다음 날 간식을 챙기는 것이 이상해서 물어보니, 그 아저씨 주려고 한다는 것이다. 그제서야 저간의 사정을 알게 되었고, 다가가기 두려워했던 내 자신이 부끄러워지고, 마음씀씀이가 딸만도 못한 것을 반성하게 되었다.

신설된 충무여중에 배정받았지만 어려운 학교 여건을 슬기롭게 극복하고 아름다운 여학생 시절을 리드했다. 3학년 때 입후보한 3명 중에서 압도적인 표 차이로 전교회장에 당선되었다. 가장 인간적이라는 평이 당선의 힘이었다고 친구들이 살짝 귀뜸해 주었다.

섬에 사는 친구가 거제로 고교입시를 보러 갈 때에 집에 함께와서 다음날 아침도 먹이고 교통편까지 안내해 무사히 다녀오게 하였다.

잡지《여학생》에서 충무여중에 취재하러 왔다. 학교 모습과 학생들의 여러 가지 활동 상황, 전교회장의 활약상이 소개되기도 하였다. 통영여고 3년 동안 친구편, 진실의 편이라는 평가를 받았지만, 학교에서는 항상 조용하게 활동하여 친구들이 더 따랐다.

숙명여대 입학식을 마치고 기숙사에 들어가던 뒷모습을 바라보며 시집보내는 마음처럼 아프고 눈시울이 뜨거웠다. 기숙사에서 함께했던 대전의 윤선이, 포항의 옥수와는 단짝이 되었다.

기숙사에서 일주일이 멀다 하고 보내온 편지와 보내던 답장. 행복하고 신이 났었다. 그 편지를 지금껏 간직하고 있다.

이제 모두 50대의 중년의 어머니가 되어 서로 오고간다. 윤선이가 있는 상해에도 딸 부부가 함께 다녀오고 윤선이는 통영에도 다녀갔다. 기이한 우연도 있다. 손녀가 대학에 입학했는데, 알고 보니 옥수 딸도 같은 대학 같은 과를 나왔다고 한다.

군 복무 후 복학한 오빠와 작은 아파트에서 대학에 다닐 때 모든 것을 맡겨 놓고 도와주지도 함께하지도 못한 그때의 미안함이 항상 남아 있다.

졸업 후 SBS방송국에서 드라마 〈LA아리랑〉의 4인 작가로 신동익, 마석철, 〈가을 동화〉의 오수연 씨와 함께 일했다.

1994년 6월 23일 중앙대학교 신문방송대학원 연극영화과에 합격, 연구과정에 입학하여 1인 3역을 거뜬히 해내는 딸을 보면서 조용히 숨어 있던 그 능력에 감탄했다.

LA 현지 촬영을 다녀올 때마다 부모님 선물을 잊지 않았다. 결혼식 때 참석해주신 여운계 님을 비롯한 〈LA아리랑〉 팀 모두에게 감사한다.

고등학교 친구인 박정하를 만나러 미국 휴스턴까지 다녀온 정이 많은 딸이다. 정하의 두 언니와 함께 자매처럼 지내다 온 것이 고맙기만 하다.

29세 때 여름 모시한복 한 벌과 이 사람이 꼭 필요하다는 총각의 말에 감동하여 서울대학교 출신 의사의 청혼을 수락했다. 주례를 맡으신 병원장님은 부모님 이력서를 가져오라 하셨다. 그렇게 남편을 만나게 되어 예서, 예하 두 남매의 어머니가 되었다. 통영에서 개업하였으며, 영양주사보다 소고기국을 권하는 등 좋은 진료, 좋은 약만을 처방한다는 평이다.

어느 일요일 교회에서 만난 권사님께서는 "그렇게 수술 잘하는 사위를 왜 PR하지 않았느냐?"고 따져 물었다. 발가락을 두 번이나 수술에 실패했는데, 사위 병원에서 한 번에 수술에 성공했으며 수술방법도 아예 다르더라며 칭찬했다. 우리야 그러고 싶은 마음이 가득했지만 조심스러워 주의할 수밖에 없었다. 토요일 저녁마다 함께 식사하며 그렇게 맛있어 하던 사위가 딸과 예서와 서울로 떠나던 날, 우리 부부는 가슴으로 울었다.

어느 날 서울터미널에서 헤어진 후 딸이 떠나는 어머니에게 보내준 문자 메시지.

"짧은 만남, 긴 이별"

이것이 인생이구나를 되새기며 두고온 딸을 그리워했다. 아름다운 가정을 꾸려가는 딸이 대견하고 제대로 뒷받침해주지 못한 미안함이 마음 한 구석에 언제까지나 남아 있다.

믿음직스럽고 든든한 6남매의 막내아들을 최고의 의사가 되게 하셨고 딸의 배필로 짝지워 주시고, 부족한 저희들의 좋은 사위가 되게 하여 주신 것, 돌아가신 신중범 님과 김정조 님, 두 분 사돈님께 감사한 마음 영원히 잊지 않겠습니다.

딸이 대학 생활과 방송국 생활, 약 7년 동안 누나같은 큰마음으로 오빠와 함께해준 것, 그리고 결혼 후에도 사이 좋은 오누이에게 감사한다. 남편을 무조건 신뢰하고 따르는 며느리, 아내에게 모든 것을 믿고 맡기는 사위덕에, 두 오누이는 의논도 진행도 일사천리이다. 두 가정을 바라보는 우리는 언제나 행복한 미소가 함께한다.

하나님의 선물 네 송이
(신예서, 장윤지, 장윤준, 신예하)

(011011)

기억하기 쉬운 이 멋진 숫자는 우리 부부가 하나님의 첫 선물로 손녀 예서를 받은 2001년 10월 11일을 요약한 숫자이다.

진주경상대학교 산부인과 분만실에서 평생 처음 손녀를 만난 환희와 기쁨. 예서는 우리 곁에서 4년간 함께하다 서울로 떠났다. 빨간 원피스를 입고 아파트 문을 툭툭 차면서 "하!" 하며 할아버지를 부르던 그 환상에 금방이라도 올 것 같던 기다림이 오랫동안 우리 곁을 맴돌았다. 그러던 아이가 벌써 대학생이 되었다.

칠순기념 때 괌 여행

장윤준, 신예서, 장윤지, 신예하

(031203)

이 숫자는 아들 부부가 결혼하여 약 10년 만에 쌍둥이 자매를 안겨준 묘한 숫자로 2003년 12월 3일을 뜻한다. 윤지와 윤준, 쌍둥이에 익숙하지는 않았지만 4년간 함께하며 자라는 동안 따뜻한 할머니로 변했다. 쌍둥이들은 비교적 체력이 약하다는 염려와는 달리 겨울철 감기도 건너뛰고 잘 자라주어 며느리에게 고마웠다.

손녀는 초등학교 6학년 때 전교회장에 스스로 출마하여, 딸이 아들보다 아버지를 더 닮았음을 증명하여 우리를 놀라게 했다. 윤준이의 희망으로 같은 중학교에 진학, 누나가 언제나 머팀목 역할을 해준 게 대견하다.

고등학교 때는 서로 다른 학교로 진학했고, 가장 중요한 고3이 되었으나 코로나 19로 인해 어려움이 많다. 여름방학 때 2차례 화이자를 접종했는데 11월 수능 때까지 건강하기를 바랄 뿐이다. 따뜻한 이모와 고모가 있어 행복한 쌍둥이들이다.

(051004)

천사일에 천사를 주셨다. 막내손주 예하가 태어난 2005년 10월 4일을 뜻하는 숫자다. 순하고 착하고 모든 일을 스스로 해결하는 천사다. 부모님께는 걱정하지 말라고 하며 축구교실도 열심히 나가고 공부도 스스로 알아서 하는 아이다.

임신이 어려웠던 아들 부부. 입양도 좋다며 위로하는 시어머니에게서 아기가 태어난다면 함께해주겠다는 약속을 받았다. 윤지, 윤준이가 어렵게 태어나 그 약속을 지키기 위해 약 5년 동안을 서울과 통영을 오가며 함께했다.

외손녀 예서는 통영에서 태어나 이웃에 살았기 때문에 보살펴주었지만 막내 예하에게만 손길이 미치지 못한 것이 항상 마음에 걸리고 애틋하다.

고마운 손주들에게 우리가 떠난 후 할아버지, 할머니는 어떤 사람으로 기억될까?

들려줄 교훈, 남겨줄 유품도 생각할 때가 이미 지난 것 같다. 지나고 보니 너무나 남겨줄 게 없는 삶이 된 것 같다. 40년 넘게 손때 묻은 옻칠미술관과 동방공예사 작품 애기장 하나씩과 화장대라도 두 손녀들에게 물려줄 수 있도록 곱게 손질해야겠다. 내가 쓴 이 책을 손주들이 꼭 가지고 있다가 할머니가 돌아간 후 보고 싶을 때 한 번씩 읽기를 소망한다.

매일 아침 6시부터 40분간 맨손운동을 한 뒤 우리 자녀들 여덟 식구, 모든 형제들, 조카들 가정, 외국에 살고 있는 조카들, 우리나라와 교회, 가까운 사람들을 위한 기도로 하루를 시

작하는 것은 큰 기쁨이다.

2022년 2월 5일 막내 외손자 예하의 〈성적 우수상〉 상장을 담은 메세지가 원고가 끝나가는 시점에 날아왔다.

트럼펫 연주로 음악과목에서도 좋은 성적을 내었다. 우리 가족 10명이 받은 상장, 상패, 기념패, 감사장, 공로패 등을 다 더하면 얼마나 될까? 막내가 대표로 마감을 해 준 셈이다.

2022년 5월 7일 외손자 예하가 보내준 기쁜 소식. 손기정 마라톤 선수의 출신고인 양정고등학교에서 올해는 특별히 100주년 마라톤대회가 열렸는데, 약 400명 전교생 중에서 14위를 했다고 한다. 그게 수능 성적이면 서울대 합격이라고 농담을 하면서 무릎이 나으면 내년에는 3위 안에 들것이라고 격려해 주었다. 딸과 손녀가 어버이날이라 통영에 와 있는데도 어머니 없이 잘 준비해서 좋은 성적까지 낸 외손자가 기특하다.

감사한 것은 지금까지 건강을 주셔서 세 손주와 큰집 신학생 은택이까지 대학에 등록시키고 막내만 남아 있다. 그들이 큰 세상으로 나아가 큰 꿈을 펼치며 건강한 삶을 살아가길….

2022년 3월 초 입학식을 마친 후 세상은 넓고도 좁다는그 말에 꼭 맞는 기적같은 소식이 날아왔다.

손자 윤준이가 서울과학기술대학교 같은 과에서 아버지 친구 왕영성의 아들 왕현식을 만났다고 한다.

결혼 전날 밤을 함께한 고교때부터의 절친인 아버지들은 대전과 서울을 오갈 때는꼭 만나며 영성 어머니 장례식과 고성 장지에까지 함께 간 사이이다.

왕영성의 큰고모 왕종림씨는 할아버지와 산양초등학교에서, 작은고모 왕종희씨는 할머니와 광도초등학교에서 함께한 인연이고, 할머니 절친 김쟈자 권사님의 두 분 이모님이시다.

왕종림, 왕종희 자매인 두분 여교사는 대졸 출신으로 실력파에 미인인데다 멋쟁이여서 모두가 부러워하는 대상이었던 것으로 기억된다. 두 분은 통영 사람들과 결혼하셨고, 모두 서울에 살고 계신다.

윤준이에게 우정도 대물림하는 아름다운 일이 펼쳐지기를 바라는 기분좋은 하루다.

외손녀가 보내 준 세발지팡이

2021년 5월 8일 어버이날.

서울에서 딸과 대학생 손녀가 함께 왔다.

수술 후 부쩍 쇠약해져가는 아버지가 마음이 쓰였나 보다.

거제 사시는 이모집 가족 등 모두 7명이 수향에서 일식 요
리를 대접받은 기분좋은 하루였다. 딸의 고운 마음씨가 오늘
따라 더 따뜻하게 전해왔다.

아버지가 어머니에게 자주 기대는 것을 보고는 지팡이 설
득 작전을 폈는데, 재치있는 손녀 예서가 인터넷으로 세발, 네
발의 지팡이를 찾아 할아버지에게 선택하도록 돕는 모습이 참
으로 지혜롭다. 어머니가 운전하고 딸과 함께 가는 모습을 보

면서 지나간 옛날 얼마나 동경했던 풍경이었던가!

며칠 후 세발지팡이가 도착했다. 잘 받았다는 아버지 편지에 딸이 긴 답장을 보내왔다.

아버지!

얼마 전 아이들에게 팔순잔치 때 부를 노래 〈당신은 사랑받기 위해 태어난 사람〉을 준비시키느라 분주해서 정작 당신의 나이듦은 뒷전인 채로 그렇게 시간이 또 흘렀네요.

패셔니스타 아버지…. 스타일 구기고 싶게 하기는 싫었으나 이제 지팡이 친구해야 할 때라며 사드린 지팡이. 그게 뭐라고 그토록 좋아하시며 너의 팔을 짚는 듯, 너를 곁에 둔 듯 하겠다고 하신 얘기에 눈시울이 뜨거워졌습니다. 난 당신의 감성을 닮았구나!

아버지! 사랑해요. 이 말을 못한 게 서로에게 한이 되지 않도록 시간이 기다려주지 않았음을 원망하지 않도록 얼마가 우리에게 남았을지 모르지만 하루하루 사랑하며 감사하며 보낼 수 있기를 기도할게요. 함께하는 동안 건강하게 지내시길 바랍니다.

아버지에게 보낸 딸의 편지를 보며 내 눈시울도 뜨거워졌지만, 행복한 하루였다.

〈통영신문〉과의 만남

서울에 계시는 유호헌 외삼촌은 내 책을 받으시고 누구보다 기뻐하시며 자랑스러워 하셨다.

평소 친분이 두터운 김갑조 통영신문 사장님께 책을 소개하여 하태호 논설위원님께서 줄거리와 느낌을 정리 '기획특집〈이 사람〉(22. 12. 9 207호)'에 실어주셨다.

인터넷으로 이 기사를 보고 그동안 책을 읽은 많은 분들이 격려 전화와 문자를 보내왔다. 세상 발전한 것이 새삼 신기하다. 외숙모 설업자와 김쟈자 두 동창이 이 소식을 알리느라 바빴다. 그때 '인기기사 1위 등극' 소식이 들려왔다. 부족한 책이 산수연을 보내면서 기쁨과 활력소가 되어 준 것이 감사하다.

제11부

두 번째 이야기

통영 케이블카 입구, 다섯 친구 여행 때
(2022년 11월 2일)

통영 희망의 새 일꾼들

2022년 6월 1일 지방선거에서 통영시장으로 당선된 천영기 씨는 두룡학교 시절 씩씩하고 성실하며 똑똑한 제자였다.

김미옥 시의회의장은 3선, 남편의 통여중때 제자였는데 우수하며 봉사활동에 앞장선 것을 기억하며 지금도 칭찬 중이다.

배도수 시의회부의장은 막내 여동생과 절친이고 후배이다. 3선으로 적극적이고 모든 분야에서 바쁘게 뛰는 마당발이다.

배윤주 의원은 재선이며 아들의 충렬초등 소꿉친구로 진보 성향으로 통영을 젊게 만드는 데 이바지하기를 기대해 본다.

정승욱 님은 충렬초 1학년 때 담임으로 건강한 개구장이였다. 이번 경선에 실패했지만 오뚜기처럼 당당히 일어설 것이다.

코로나19 투병기

2022년 7월 28일 막내 시누이와 벽방소년 정재운과 함께 오랜만에 진영갈비에서 점심을 함께했다.

코막힘으로 이비인후과 치료를 받는다는 내 이야기에 벽방소년은 식사 후 인근 보건소로 무조건 나를 끌고 갔다.

세 사람은 보건소 뜰 벤치에서 재미있게 담소하고 나만 검사를 받았다. 다음날 오전 9시 30분 보건소에서 '확진' 연락이 왔다. 놀란 남편이 바로 적십자병원에서 신속 검사를 하니 '확진'이었다. 두 사람이 입원 가능하다는 통보에 오후 1시경 입원하여 2인 1실에 배정되었다. 서울의 자녀들에게는 알리지 않기로 했다. 휴대폰으로 연락을 주고받는 일상이 너무나 다행이다.

　김시은 2내과 과장님의 진료로 오전 10시경 주사 맞기, 도시락 식사, 식사 후 투약, 철저한 격리치료가 이어졌는데 두 사람이 한 방을 쓰게 된 것은 행운이었다. 네 번의 예방접종이 큰 힘이 되어 그래도 증상은 가벼운 편이었다.

　수간호사 김정현 씨의 완벽한 솜씨, 고마운 김지화 간호사는 독서를 좋아했는데 물리치료실장님인 이상욱 장로님께서 《몽돌이 이야기》를 빌려주어 읽게 해 주셨다.

　일주일 후 퇴원하여 집으로 왔지만 '아리아'만 기다리고 있었다. 평생 처음 느낀 쓴 물맛! 입맛이 6개월이 지나서야 겨우 돌아왔다. 맛을 느끼며 먹을 수 있다는 것은 감격이었다. 3개월 후 5차 접종을 했다.

　한번 걸려도 면역이 생기지 않는 게 코로나19의 특징이란다. 마스크 착용이 해제되어도 쉽게 벗을 수 없는 공포감이 있다.

　6.25전쟁을 겪은 우리 세대는 그동안 많은 발전으로 늦게나마 여러 혜택을 누리며 살아간다. 이번 코로나19 무료 치료와 관리를 통해 대한민국이 선진국이 되었음을 깨닫게 되었고 국가의 고마움을 절실히 느꼈다. 한 가지 간절한 바람은 정치가 선진화되었으면 하는 것이고, 부정보다 긍정의 방향으로 힘과 마음을 함께 모으기를 간절히 원한다.

다섯 친구의 산수연 여행

동창인 신앙의 절친 쟈쟈가 서울 연이와 통영 생이를 위해 통영에서 위로회를 제의 둘이서 마음을 모았다.

남편의 신협 임원연수회가 22년 11월 1일~3일까지 제주에서 개최되는 기회를 이용하여 다섯 친구의 산수연 여행이 시작되었다.

연이와 쟈쟈가 오전 8시 서울을 출발하여 12시에 통영에 도착했다. 통영 맛집에서 말만 들어본 다찌로 평생 처음 신나는 점심을 먹었다. 산양면 산유골 수목공원 둘재딸 미화 집에 오후 4시 30분 도착하여 편백으로 도배하고 장작불 땐 온돌방에서 저녁 9시까지 물만 먹으며 이야기꽃을 피웠다.

산유골 수목공원(2022년 11월 1일)

　다음날 산양면 연명항에서 10시에 출발하여 15분 후 만지도에 도착하여 섬을 구경했다. 출렁다리도 건너고 해물라면 특식으로 점심을 먹은 후 오후 1시 15분 연명항으로 돌아와 케이블카를 타고 미륵산에 오르고 서피랑과 통제영을 둘러 시내 구경을 하고 항남장 모텔에서 둘째 날 밤을 보냈다.

　다음날 아침 서호시장에서 연이는 고향 생선과 채소들을 사서 아들 집에 택배로 보내고, 셋이서 남망산에 올랐다.

아! 아름다운 통영이여! 그동안 너무 변해버려 신기롭기까지 하다. 연이가 수향에서 즐거운 점심을 대접해서 고마웠다.

연이는 오빠와 함께 삼천포로, 쟈자는 커다란 시장꾸러미를 안고 미소 지으며 보내준 유정부 씨가 마중나올 동서울터미널로…. 굿바이! 하루만 더 같이 지냈으면….

외롭게 지내던 연이와 생이가 힐링이 되었고, 좋은 여행이 되어 고맙다는 소식을 전해주었다. 즐거운 팔순여행이었다.

2023년 4월 7일 강구안 보도교가 개통되었다. 개통되면 다섯이 함께 걸어 남망산에 오르자고 했는데, 약속을 지키러 언제 올 지 기다려진다.

왼쪽부터 필자, 김생, 김연, 감쟈자
만지도에서, 2022년 11월 2일

62년 만에 만난 두 동창생 :
일본서 온 이경자,
미국서 온 강선자와 함께

2023년 4월 22일에 일본에서 이경자, 5월 1일에는 미국에서 강선자가 통영에 왔다.

62년 만에 만난 곱게 늙어가는 두 모습이 아름답다. 대구에서 유묘연, 부산의 이미자가 합류, 통영의 새 명소가 된 강구안 보도교를 건너고 통영김밥, 멸치회와 멸치쌈, 꿀빵도 먹고, 남망산에서 추억에 젖었다. 경자는 함께 온 두 아들과 선자는 한국 사는 딸과 함께 떠났다.

2년 후 함께 만나자고 한 약속을 지키기 위해 강건함을 주시도록 기도한다.

남망산 갤러리에서 모두 함께

선자와 필자

남망산 유치환 시비 앞에서
(왼쪽부터 이순금, 필자, 유묘연,
강선자, 이미자, 주길자)

이경자 뒤로 이순금, 필자, 주길자

회혼식 대신 조사를 읽다

전편의 회혼식 제목이 '조사를 읽다'로 바뀌어 버렸다. 약 50년 전 통영에 오신 이후 형제처럼 다정했던 우리 부부와 구문근 장로님 부부는 고희연, 산수연을 함께했고, 23년에는 결혼 60주년 회혼식 예배와 큰 잔치를 함께하기로 약속했는데, 처음으로 약속을 지키지 못하시고 하늘나라로 떠나셨다.

발인 예배에서 남편인 장로님이 조사를 읽었다.

"사랑하는 장로님! 정녕 떠나시렵니까?"로 시작된 조사는 구문근 친구 장로님을 보내며 눈물이 앞을 가리고 목이 메었다. 50년 전 디프테리아로 목숨이 경각에 달린 130명을 수술로 살려낸 이야기와 섬 마을 봉사는 자녀들도 이 순간 알게 되었다.

청년회의소 봉사, 기드온 평생회원, 선교로 교회 세우기와 그곳의 의료봉사, 충무교회 100년사를 편찬 대역사를 이루셨고, 부드럽고 온화한 인품은 모든 가장의 귀감이 되셨고, 슬하에 충무교회 반주자, 2명의 박사, 6명의 의사, 1명의 부장검사를 두셨고, 전영준 사위의 인품을 아신 후 대한민국에서 가장 깨끗하고 유능한 기독인 검찰총장이 되어 달라고 매일 새벽 기도를 하시며, 그렇게 될 수 있도록 후원을 아끼지 않으셨다.

사랑하는 장로님! 장로님이 계셔서 우리 모두 행복했습니다. 천국에서 만날 것을 약속하고 소망하며 보내드리렵니다. 주님과 함께 편히 쉬십시오. 사랑합니다.

2022. 12. 2. 평생을 함께해 온 친구 장상명 드림

이탈리아 여행 중 피사의 사탑 앞에서(2006년 3월 30일)
왼쪽부터 남편, 필자, 최승희, 구문근

'빛길가' 김승신 여사

빛 광(光) 길 도(道).

2022년 9월 1일 광도면에서 생긴 '오리 맛집'의 이름이다. "빛으로 길을 인도하라"는 성경 말씀이 담겼다.

충은교회에서 함께했고 또 어머니 정은숙 집사님과는 신설 충무여중에서 어머니회 회장과 총무로 콤비를 이뤘다.

개업 후에 들렀다가 6개월 동안 경기도 식당의 주방에서 무료봉사하며 실습한 이야기, 남편과 아들 세 가족이 모두 일하는 현장, 친절과 최선을 다하는 모습에서 성공을 확신했다.

불현듯 천기주 장로님의 옛 향수가 막내 며느리로 되살아나 감동이 밀려왔다. 교회의 꽃꽂이 자리로 빨리 돌아오길….

나쓸리(미얀마)교회
기공예배 기도문

나쓸리교회 예배 인도 기도 장준환 목사님
통영충무교회 예배 기도 김순자 권사
2023년 3월 5일

오늘 미얀마 나쓸리교회 기공예배 현장을 영상으로 만나며 충무교회에서 선교헌신예배를 드리게 됨을 감사드립니다.

은퇴 권사들에게 사명과 은혜를 주셔서 가족의 행사때마다 해외 교회를 지으신 어느 장로님의 간증에 가슴이 뜨거워져 새 눈을 뜨게 된 우리들이 은퇴가 새로운 시작으로 거듭나 선교의 촛불을 밝히며 칠순, 팔순 잔치를 아끼고 매월 정성어린 마음과 뜻을 모아 3년 만에 선교의 열매를 맺게 되었습니다.

그리고 2년 전 미얀마 군부 쿠테타로 산지에 살고있는 나쓸리 주민들이 나무 밑에서 예배를 본다는 안타까운 소식에 마을 전체가 크리스천 공동체가 되도록 교회 건축이 가장 시급한 지역으로 선정되어 15번째 교회가 탄생함에 감사드립니다.

옛 선교지에서 의료봉사를 하셨던 돌아가신 구문근 장로님. 병원을 운영하며 많은 선교 헌금을 보내시는 서울의 구태완 집사님. 평생을 선교 헌신으로 저희들이 선교할 수 있도록 리더가 되어주신 최승희 권사님. 가족분들 고맙습니다.

2월 27일 김해공항을 출발하여 5일 동안의 빡빡한 스케줄에 맞춰 여섯 차례 비행기를 갈아타시려고 한 배낭과 운동화 차림에서 옛 선교사 시절의 모습을 떠올리며 이 일을 이루기 위해 충무교회에 목사님을 보내주신 것이 축복임을 느낍니다.

모든 일을 빈틈없이 진행하여 기공예배를 드리고, 마을잔치를 결혼잔치로 대치하여 대신 어려운 12 가정을 지붕공사를 통해 도와드리고, 양신교회 방문 등 많은 일정을 마무리하시고, 건강하게 돌아오셔서 쉴틈도 없이 금요 영성기도를 인도하심에 감사드립니다.

오늘 하나된 기공예배는 하나님께 영광이요, 충무교회의 자랑, 저력, 기쁨입니다. 해외 교회를 후원하고 개척하는 일을 아름다운 전통으로 물려주어 선교로 탄생된 교회가 몇 천 배의 선교로 보답할 수 있도록 118년 역사를 넘어 계속되기를 소망하며 이 모든 말씀 예수님의 이름으로 기도드립니다. 아멘.

출발선

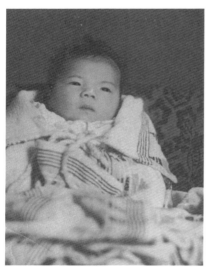

필자의 돐

아들 지훈

딸 지영의 첫돐

딸 지영의 걸음마

네 명의 손주들 (왼쪽부터 윤지, 예서, 예하, 윤준)

조카 유주현

조카 김대현, 김명진

여행의 정리

여행은 인생이고 열정이다.

그곳에 설레임, 동경, 아름다움, 추억이 함께한다.

여행을 위해 신문광고란을 열심히 보는 습관이 생겼다. 확인 결과 특가여행은 옷의 세일과 같았다. 항공편, 호텔 모두 정상가와 같았다.

알뜰여행을 시작했는데 주변에 알려져 참여하는 동행이 많아졌다. 한 예로 실크로드 여행광고, 평소 160만 원하던 요금이 90만 원으로 나왔다. 인천-우루무치의 대한항공 정기노선은 4월부터 10월까지 운행하는데 10월이면 승객이 거의 끊어진 상태이다. 그 틈을 여행사가 대폭할인된 항공권을 구입하여 관광객을 특가로 모집한다. 그 광고를 보는 즉시 통화하였더니 모두 17명이 가능하다고 했다. 1인당 예약금 30만 원, 모두 510만 원을 즉시 송금하여 좌석을 확보한 후 모집한 결과 이틀만에 25명의 희망자가 모였으나, 19명만 다녀왔다.

언젠가는 총금액이 1억 원이 넘는 경우도 있어 겁이 난 적도 있었다. 우리 두 사람을 믿고 아무 의심 없이 여행비를 내주는 데 대한 책임감이 무거웠다. 직접 서울의 여행사 본사를 방문하여 모든 것을 확인한 후 계약하고 송금한 후 여행을 했다.

새벽에 귀국할 때는 강화도 등을 거쳐 오는 2일 코스를 추진 모두가 흡족하였다. 30~40명이 한 팀이 되어 사고 없이 무사히 다녀온 것도 지나고 보면 간 큰 일이었지만 하나님께 감사드린다. 여행사를 권하는 분들이 많다. 되묻고 싶다. 이익을 추구해야 하는데 그래도 이용해줄 수 있겠느냐고?

우리 두 사람이 받을 수 있는 혜택을 모두에게 돌려드렸기 때문에 저렴하고 좋은 여행, 명확한 회계보고로 즐거운 시간이 되었다고 자부한다.

팔도식당 탁도수, 최태선 씨 두 분은 해외여행 때마다 매실주와 밑반찬을 대량으로 가져와 일행 모두를 즐겁게 해주셨다. 이 자리를 빌어 감사를 전한다.

※ 통영시 여자 테니스회

1	미국, 하와이	1991. 4. 5~4. 11
2	호주, 뉴질랜드	1994. 4. 8~4. 15
3	캐나다, 록키산맥 서부	1994. 5. 5~5. 12

※ 자유여행

4	북유럽 4개국(덴마크, 노르웨이, 스웨덴, 핀란드)	2005. 5. 30~6. 8
5	미서부 일주	2005. 11. 10~11. 18
6	서유럽 6개국(영국, 프랑스, 스위스, 이태리, 오스트리아, 독일)	2006. 3. 26~4. 6
7	동유럽 7개국(대만, 체코, 폴란드, 슬로바키아, 헝가리, 오스트리아, 독일)	2006. 5. 18~5. 28
8	스페인, 포르투갈, 모로코	2007. 3. 4~3. 15
9	발칸반도 6개국(루마니아, 불가리아, 세르비아, 보스니아, 크로아티아, 슬로베니아)	2007. 7. 11~7. 20
10	터키, 그리스	2007. 10. 17~10. 26
11	아프리카 4개국(남아프리카공화국, 짐바브웨, 잠비아, 보츠와니)	2008. 3. 16~3. 23
12	러시아 북유럽 4개국(덴마크, 노르웨이, 스웨덴, 핀란드)	2008. 6. 2~6. 13
13	미동부, 캐나다	2010. 10. 5~10. 14
14	인도, 네팔	2011. 1. 7~1. 20
15	스리랑카	2013. 3. 13~3. 18
16	태국, 방콕, 파타야	1992. 4. 5~4. 9
17	싱가폴, 말레이시아, 베트남	1995. 2. 10~2. 14
18	태국, 방콕, 치앙마이	1995. 11. 13~11. 18
19	베트남, 캄보디아	2006. 12. 5~12. 10
20	베트남, 하노이, 하롱베이	2009. 10. 1~10. 5
21	필리핀	2010. 3. 9~3. 13
22	미얀마(양곤, 해호)	2012. 9. 15~9. 19
23	라오스	2014. 4. 25~4. 29
24	태국, 치앙마이, 미얀마, 라오스	2014. 10. 5~10. 10
25	베트남, 다낭, 후에 호이안	2015. 11. 9~11. 13

※ 중국여행

26	홍콩, 마카오	1991. 4. 4~4. 8
27	북경, 연길, 백두산, 두만강	1999. 6. 14~6. 19
28	황산, 소주, 상해, 항주	2007. 3. 9~3. 15
29	낙양, 정주, 소림사	2008. 1. 23~1. 26
30	실크로드(우루무치, 돈황, 선선, 하밀, 트루판)	2008. 10. 11~10. 19
31	하이난	2009. 3. 8~3. 13
32	곤명, 석림, 구황동굴	2011. 10. 5~10. 10
33	청도, 장가게, 원가계, 천문산	2011. 11. 15~11. 19
34	중경(대족석각)	2012. 3. 18~3. 21
35	청도 핵심일주	2012. 5. 3~5. 5
36	면산, 평요고성	2012. 6. 9~6. 13
37	성도, 구채구	2014. 10. 27~11. 1
38	곤명, 석림, 대리, 여강	2015. 3. 21~3. 26
39	서안, 화산	2016. 3. 19~3. 24
40	양자강 크루즈	2017. 11. 7~11. 11

※ 기독신우회

41	이스라엘, 이집트 성지순례	1997. 4. 21~5. 2
42	대만	1997. 10. 20~10. 23
43	중국, 상해, 계림, 장가게, 소주	2002. 5. 13~5. 18

※ 삼음회(부산사범대학 음악과 3회 졸업생 모임)

44	대만	1997. 1. 11~1. 14
45	상해, 항주, 소주, 계림	2001. 2. 28~3. 3
46	캐나다	2004. 5. 20~5. 27
47	일본	2006. 3. 10~3. 13

※ 남성합창단 연수

48	중국 연길시 연길교회 통영기독남성합창단 초청 연주회	2000. 7. 31~8. 5

※ 선교활동

49	태국단기선교	1995. 11. 13~11. 18
50	중국 연길 심양 단기선교	2007. 6. 10~6. 15

※ 복음신협 남부평의회

51	태국, 캄보디아, Accv 총회 및 국제 오픈 포럼 (신협이사장 연수단)	2002. 9. 18~9. 24
52	터키(신협 임원 해외연수)	2003. 9. 16~9. 23
53	성도, 구채구, 황용(남부평의회)	2004. 10. 18~10. 22
54	베트남, 하노이, 하롱베이(남부평의회)	2005. 4. 20~4. 25
55	일본(남부평의회)	2007. 6. 4~6. 7

※ 통수 32회 동기생 모임

56	캄보디아, 태국	2005. 6. 24~6. 29

※ 가족여행

57	싱가폴, 말레이시아	1996. 11. 3~11. 8
58	인도네시아 발리, 클럽메드(남편 회갑기념)	1997. 7. 13~7. 18
59	괌(남편 칠순기념)	2006. 6. 29~7. 3
60	동남아럭셔리크루즈(마카오, 홍콩, 하이난, 하롱베이)	2008. 4. 27~5. 2
61	사이판	2009. 9. 20~9. 25
62	대만(남편 팔순기념)	2017. 2. 1~2. 5

산수연 (2016년 10월 2일) 때 장로님이 가족을 소개하는 장면

칠순기념 가족여행. 2006년 6월 30일 (감마시)

몽돌이 이야기

초판 발행   2022년 6월 24일
초판 2쇄   2023년 5월 30일

지은이   김순자 (내용 문의 : 010-5301-6916)

발행인   김영대
펴낸 곳   대경북스
등록번호   제 1-1003호
주소   서울시 강동구 천중로42길 45(길동 379-15) 2F
전화   (02)485-1988, 485-2586~87
팩스   (02)485-1488
홈페이지   http://www.dkbooks.co.kr
e-mail   dkbooks@chol.com

ISBN   978-89-5676-910-3

※ 이 책은 저작권법에 따라 보호받는 저작물이므로 무단전재와 무단복제를
   금지하며, 이 책 내용의 전부 또는 일부를 이용하려면 반드시 저작권자와
   대경북스의 서면 동의를 받아야 합니다.

※ 잘못된 책은 구입하신 서점에서 바꾸어 드립니다.

※ 책값은 뒤표지에 있습니다.